#10

#10

Français • 3ᵉ cycle du primaire

mordicus

MANUEL DE L'ÉLÈVE, **VOL. 3**

France Le Petitcorps
Directrice de collection

Louise Côté

Avec la participation de
Roger Lazure

LES ÉDITIONS CEC INC.

8101, boul. Métropolitain Est, Anjou, Qc, Canada H1J 1J9
Téléphone : (514) 351-6010 Télécopieur : (514) 351-3534

Directrice de l'édition
Carole Lortie

Directrice de la production
Danielle Latendresse

Directrice de la coordination
Isabel Rusin

Chargée de projet
Sophie Aubin

Réviseur linguistique
Denys Lessard

Correctrice d'épreuves
Jacinthe Caron

Rédactrices des activités TIC
Renée Leblanc, Guylaine Leclerc

Recherchiste (photos)
Monique Rosevear

Consultantes pédagogiques
Louise Choquette, enseignante au 3e cycle, école de l'Envolée,
commission scolaire de la Seigneurie-des-Mille-Îles

Danielle Legault, enseignante au 3e cycle, école Lajoie,
commission scolaire Marguerite-Bourgeoys

Ginette Vincent, conseillère pédagogique au primaire,
commission scolaire Marie-Victorin

Conception et réalisation

Illustrateurs
Stéphan Archambault, Sylvie Arsenault, Christine Battuz, Sophie Casson,
Christine Delezenne, Philippe Germain, Martin Goneau, Bertrand Lachance,
Ninon, Paul Rossini, Meng Siow

Dans cet ouvrage, la féminisation des titres de fonctions et des textes s'appuie sur des règles d'écriture proposées par l'Office de la langue française dans le guide *Au féminin*, Les publications du Québec, 1991.

Les Éditions CEC inc. remercient le gouvernement du Québec de l'aide financière accordée à l'édition de cet ouvrage par l'entremise du Programme de crédit d'impôt pour l'édition de livres, administré par la SODEC.

© 2003, Les Éditions CEC inc.
8101, boul. Métropolitain Est, Anjou (Québec) H1J 1J9

Dépôt légal : 2e trimestre 2003
Bibliothèque nationale du Québec
Bibliothèque nationale du Canada

ISBN 2-7617-1906-9

Imprimé au Canada
1   2   3   4   5   07   06   05   04   03

Abréviations

Adj. = adjectif

Adv. = adverbe

Attr. = attribut

Dét. = déterminant

N = nom

P = pronom

Prép. = préposition

V = verbe

Compl. = complément

m. = masculin

f. = féminin

s. = singulier

pl. = pluriel

pers. = personne

GN = groupe du nom

GV = groupe du verbe

GPrép = groupe prépositionnel

CD = complément direct

CI = complément indirect

Le mot ou le groupe de mots surlignés en bleu exercent la fonction de sujet.

Le mot ou le groupe de mots surlignés en jaune exercent la fonction de prédicat.

Le mot ou le groupe de mots surlignés en rose exercent la fonction de complément de phrase.

Pictogrammes

 = Réflexion sur les apprentissages en cours

 = Document à conserver dans le portfolio

 = Définition d'un mot

 = Document à placer dans la trousse à outils

 = Truc pour se dépanner en cours d'activité

fiche ☒ = Renvoi à une fiche reproductible

EN PRIME = Activité complémentaire pour consolider les apprentissages

p. xx = Renvoi à un tableau synthèse (*Retenir sa langue*) de la section grammaticale

---

Niveau de difficulté des textes :

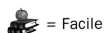 = Facile

 = Moyen

= Difficile

L = Lecture

É = Écriture

O = Communication orale

A = Appréciation d'œuvres littéraires

C = Gestion et communication de l'information (projet)

III

Structure d'un numéro

Toutes les activités proposées dans *Mordicus* visent le développement de compétences en français et de compétences transversales. Chaque numéro de *Mordicus* est organisé autour d'une grande thématique en lien avec les domaines généraux de formation.

Sommaire
Pour se faire une bonne idée des activités à réaliser dans un numéro.

Boîte aux lettres
Pour connaître les réactions des élèves sur le numéro précédent et faire le point sur les apprentissages.

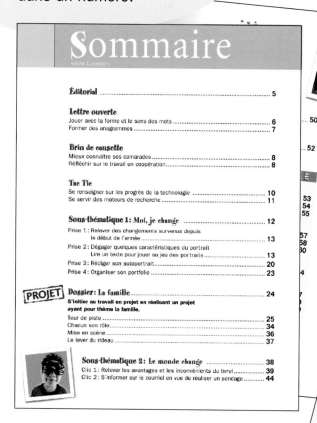

Boîte aux lettres

Pauvre Benjamin
J'ai beaucoup aimé l'extrait du roman Monsieur Engels. Je vis un peu la même situation que Benjamin. Alors, j'ai décidé de lire le roman en entier et de proposer à d'autres élèves de former un cercle de lecture autour de ce roman. Nous avons trouvé un nom asse... Talentriste...

Coup dur pour l'ego
J'aime beaucoup lire les propos des pro... chaque numéro à...
tion à...

Vous... de mo... d'Hélè... nous !

Finies le...
Le traitement... chouette ! ... complément... maintenant l... coller). Déplac... ou l'effacer à l'a... super-facile. J'... avantage à me... Depuis, chaque fo... dire... à... co... plu...

192

Éditorial
Pour en savoir plus sur la thématique du numéro.

Éditorial

Changement de décor

Il n'existe rien de constant si ce n'est le changement, a dit un illustre sage. Toi, tu changes. Tu vieillis, tu grandis, tu évolues. Te voilà dans la cour des grands. Tout autour de toi, le monde change aussi. Tiens, prends la famille. Il en existe une telle variété aujourd'hui qu'on a peine à toutes les nommer. Et les médias! Et Internet, qui révolutionne nos manières de nous informer et de communiquer.

Il y a des changements qu'on souhaite, d'autres qu'on appréhende. Toi, comment vis-tu ton arrivée au troisième cycle? Comment envisages-tu l'année qui vient? Nous, en tout cas, nous sommes ravis d'être à tes côtés pour t'aider à travailler un matériau d'une rare qualité: la langue.

Comme tout en ce monde, la langue et la communication changent. Pendant que de nouveaux mots apparaissent, d'autres disparaissent. De nouvelles façons de communiquer voient le jour. On s'adresse plus de courriels aujourd'hui que de lettres traditionnelles. On ne lit pas seulement sur son divan, on lit aussi à l'écran. Mais le plus grand défi consiste sans doute à modifier son point de vue sur la langue. Il faut aimer la langue pour bien la maîtriser. Pour ça, compte sur nous! Nous aimons la langue sous toutes ses formes, nous la trouvons incroyablement riche. Et pour nous, un trésor, c'est fait pour être partagé!

La rédactrice en chef, au nom de toute l'équipe

Lettre ouverte

Pour s'amuser avec les mots,
des jeux littéraires et
des jeux de mots.

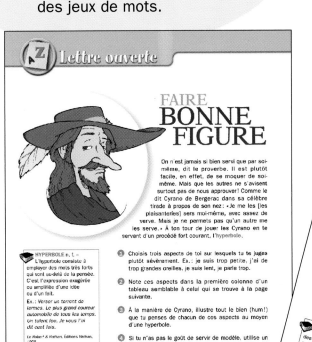

Brin de causette

Pour discuter, échanger
des idées et apprendre
à mieux coopérer.

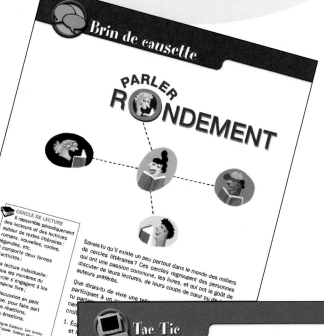

Tac Tic

Pour tirer parti des
technologies de l'information
et de la communication (TIC)
dans diverses activités
en français.

Sous-thématique

Pour approfondir la thématique du numéro. Pour réaliser un ensemble d'activités liées les unes aux autres.

Un numéro contient habituellement deux sous-thématiques.

À l'écoute des pros

Des écrivains d'ici partagent la passion de leur métier et leurs meilleurs trucs.

Projet

Pour mettre en œuvre un **PROJET** et réinvestir les apprentissages en français, un dossier contenant des textes déclencheurs, des idées de projets et une démarche pour les mener à terme.

Moi et les autres
Pour trouver des réponses à des questions qui préoccupent les jeunes d'aujourd'hui.

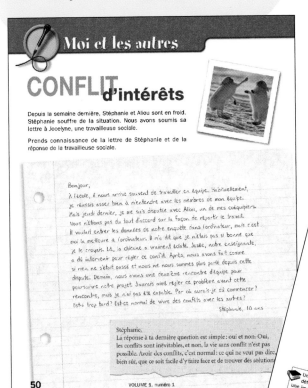

Multimédia
Pour discuter et réfléchir sur le monde de l'information et de la communication.

Section grammaticale
Pour comprendre et maîtriser l'orthographe d'usage, la syntaxe, le vocabulaire et l'orthographe grammaticale.

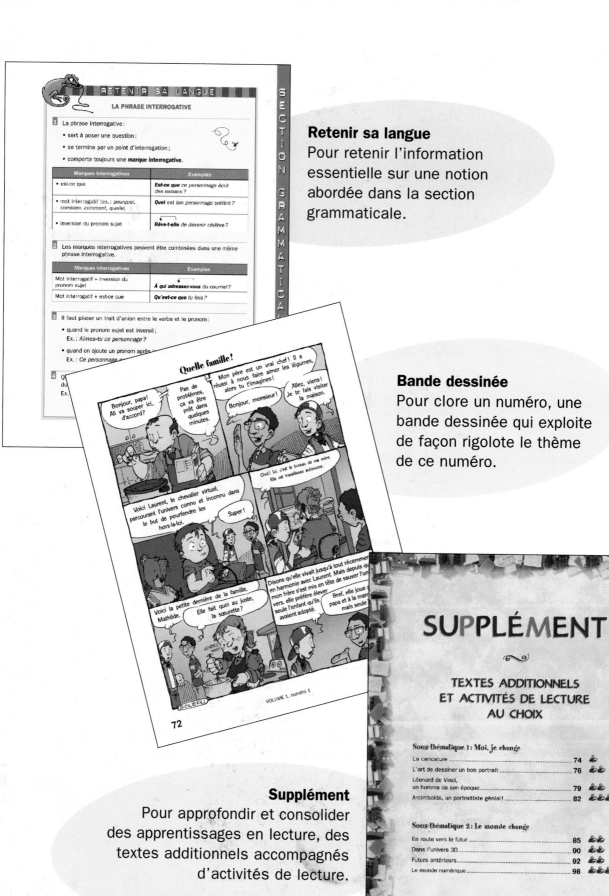

Retenir sa langue

Pour retenir l'information essentielle sur une notion abordée dans la section grammaticale.

Bande dessinée

Pour clore un numéro, une bande dessinée qui exploite de façon rigolote le thème de ce numéro.

Supplément

Pour approfondir et consolider des apprentissages en lecture, des textes additionnels accompagnés d'activités de lecture.

mordicus

Volume 3, numéro 7

DOSSIER
À l'école
du changement

Faire son entrée
Quand prénom
rime avec
présentation !

Avoir
du métier
Plus tard,
je serai...

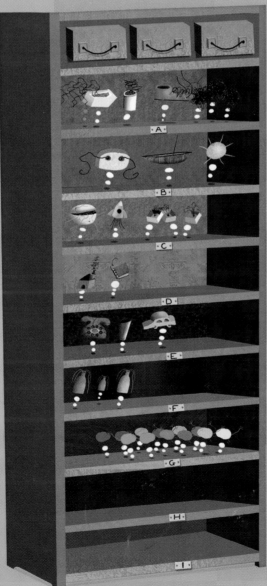

Moi et les autres
Organiser ses loisirs,
quel plaisir !

Section grammaticale
Nom, verbe ou adjectif ?
Affaire classée !

Sommaire

Volume 3, numéro 7

Boîte aux lettres

Fenêtre sur le Québec

Je m'appelle Laurianne et j'ai douze ans. Cette année, j'aimerais entreprendre une correspondance avec un gars ou une fille de mon âge qui vit au Québec ou ailleurs dans le monde. Nous pourrions parler de nos écoles, de nos activités, de nos intérêts. J'aime beaucoup écrire et j'ai plein de choses à dire. Savez-vous s'il existe des clubs de correspondance scolaire?

Laurianne

Chère Laurianne,

Oui, il existe plusieurs clubs où tu peux trouver des correspondants du monde entier. Pour trouver celui qui te convient, demande conseil à ton enseignante ou à ton enseignant.

De notre côté, nous t'invitons dans ce numéro à vivre une première expérience de correspondance scolaire avec les élèves de ta classe. Ça devrait te plaire.

Sujet d'inquiétude

Cet été, ma famille et moi avons déménagé dans une autre ville. Je me demande bien si je vais aimer ma nouvelle école et si je réussirai à me faire de nouveaux amis. Mes parents me disent de ne pas m'inquiéter. Je m'inquiète quand même un peu.

Mikaël

Cher Mikaël,

Tu seras content d'apprendre que tu n'es pas le seul à vivre une telle situation à la rentrée scolaire. Dans ce numéro, tu rencontreras Minnie Bellavance, une jeune fille de ton âge qui est passée par là. Son expérience t'aidera sans doute à voir les choses différemment. Souhaitons que ça se passe aussi bien pour toi que pour elle!

Et toi, dans quel esprit commences-tu cette nouvelle année? Quels projets aimerais-tu réaliser cette année? Quels défis aimerais-tu relever?

Éditorial

Du changement dans l'air

S'agit-il de retrouvailles ou nous rencontrons-nous pour la première fois ? Bonjour ou rebonjour, selon le cas. Toi qui es maintenant membre en règle du club des plus vieux et des plus vieilles de l'école, comment entrevois-tu ta dernière année à l'école primaire ?

Rentrer à l'école, c'est renouer avec ses camarades. Le temps d'un été, vous aurez sûrement changé. Si ta classe accueille un nouveau ou une nouvelle, iras-tu vers lui ou vers elle ? Sauras-tu nouer de nouvelles amitiés ? Revenir en classe, c'est aussi reprendre ses habitudes et en acquérir de nouvelles. Qu'as-tu hâte de retrouver ? Qu'aimerais-tu essayer de différent ?

Ce numéro te donnera l'occasion d'aller à la découverte des autres et de toi-même. En voici un aperçu : début d'une correspondance et peut-être d'une nouvelle alliance, rêverie sur les métiers prisés par les jeunes d'aujourd'hui, tour d'horizon sur l'origine des noms, mise sur pied d'un réseau local d'activités... et ce n'est pas tout ! Ce numéro te donnera aussi l'occasion de faire des découvertes sur le monde qui t'entoure, le monde du travail et l'école. Et comment goûteras-tu ces découvertes ? Grâce à la langue, bien sûr ! Ce joyau, ce bijou, ce trésor t'appartient. À toi d'en prendre soin.

Décidément, voilà une année qui s'annonce vraiment bien !

La rédactrice en chef, au nom de toute l'équipe

Fais-moi un dessin

RÉBUS n. m. – Devinette faite d'une suite de dessins, de signes, d'images, qui représentent chacun une syllabe.

Extrait du *Robert Junior*, version CD-ROM.

Remarque : On prononce le *s* de *rébus*.

Rigolos

Et originaux

Bricolages de mots

Uniques et plein d'astuces

Sont les **rébus**.

1 Résous les rébus qui suivent.

a)

d)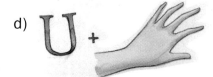

b)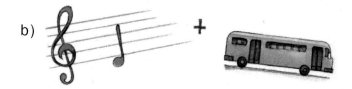

e)

c)

f)

EN PRIME

• Si l'idée de créer des rébus t'amuse, demande la fiche **1**.

2 Comment as-tu procédé pour résoudre les rébus ? Lequel a été le plus facile à trouver ? le plus difficile ?

Chassez cette lettre e

Écrire un roman de plus de 300 pages sans employer la lettre *e*, voilà l'exploit réalisé par Georges Perec. Marche sur les traces de cet écrivain en créant des **lipogrammes**.

1️⃣ Imite Georges Perec en créant deux phrases dans lesquelles tu n'utiliseras pas la lettre *e*.

Ex. : On donna un rat à mon ami Nicolas, qui chiala car il voulait un chat.

2️⃣ Fais le même exercice en évitant cette fois la lettre *a*.

3️⃣ Il existe une variante du lipogramme, qui consiste à employer une même lettre dans tous les mots d'une phrase.

a) Crée deux phrases dans lesquelles tous les mots contiendront la lettre *i*.

Ex. : Ali finit ainsi six livres policiers passionnants.

b) Crée deux phrases dans lesquelles tous les mots contiendront la consonne de ton choix.

Ex. : *m* → Mon minou Madou miaule mal.

4️⃣ Présente tes meilleures créations à tes camarades.

LIPOGRAMME n. m. – [...] Texte dans lequel on s'astreint à ne pas faire figurer une ou plusieurs lettres de l'alphabet [...].

Extrait du *Petit Robert de la langue française*, version CD-ROM.

SOS

Pour éviter d'utiliser le *e*, emploie de préférence :

• des verbes à l'imparfait ou au passé simple ;

• des noms masculins.

PRISE DE CONTACT

Matériel

- Un dé
- Des languettes de papier
- Une petite boîte

Un jeu pour mieux connaître tes camarades de classe, voilà ce que nous te proposons. Pour y jouer, tu dois dévoiler quelques aspects de toi et prêter une oreille attentive aux propos des autres.

1. Écoute les consignes expliquant la formation des équipes et le déroulement du jeu.

2. Lis les cinq questions auxquelles tu pourrais répondre pendant le jeu.

   ⚀ Quel est ton animal préféré ?

   ⚁ Comment occupes-tu tes loisirs ?

   ⚂ Quelle est ton émission de télévision favorite ?

   ⚃ Quel est le titre du dernier bon livre que tu as lu ?

   ⚄ Quelle est la principale qualité que tu recherches chez une personne ?

3. Sur un bout de papier, écris une autre question que tu aimerais poser à tes camarades.

4. Dépose ta question dans une petite boîte avec celles des membres de ton équipe.

5. À tour de rôle, lancez le dé et répondez à la question correspondant au nombre qui se trouve sur la face supérieure du dé. Si le dé tombe sur le numéro 6, tirez une question de la boîte.

6. Continuez le jeu pendant deux autres tours.

7. Sois à l'écoute des propos de tes coéquipiers. Note leurs réponses sur la fiche **2**.

8. Comment cette activité t'a-t-elle permis de mieux connaître tes camarades et de te découvrir des points communs avec eux? Comment as-tu manifesté de l'intérêt à l'égard de leurs propos?

EN PRIME

• Rejoue le jeu avec d'autres personnes que tu aimerais connaître un peu mieux.

L'ESPRIT D'ÉQUIPE

STRATÉGIE
o

Voici comment faire savoir à quelqu'un que tu es à son écoute.

• Regarde cette personne quand elle parle.

• Montre-lui ton intérêt par des signes : approbation de la tête ou de la voix («hum, oui»).

• Viens à la rescousse de quelqu'un qui a de la difficulté à répondre à une question en la formulant autrement. Par exemple : «Préfères-tu les chiens ou les chats?» (Reformulation de : «Quel est ton animal préféré?»)

Cette année, comment contribueras-tu à rendre le travail en équipe agréable et profitable? Voici l'occasion d'y réfléchir.

1. Remplis la fiche **3**.

2. Fais part de tes réponses à la classe.

3. Collectivement, déterminez les avantages et les désavantages du travail en équipe.

4. Note sur un bout de papier la principale qualité dont tu peux faire preuve dans le travail en équipe. Remets ce papier à ton enseignant ou à ton enseignante.

Cherchez l'erreur

Il t'arrive d'inverser des lettres, de douter de l'orthographe d'un mot, bref de faire des erreurs en tapant à l'ordinateur? Rien de plus normal! Heureusement, tu peux compter sur un fidèle assistant: le dictionnaire intégré de ton logiciel de traitement de texte.

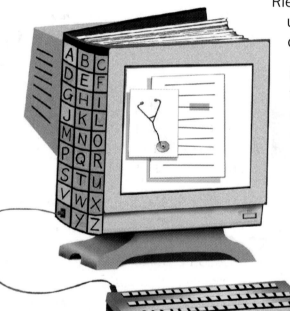

Le dictionnaire intégré est un outil de correction de texte qui détecte les erreurs au fur et à mesure que tu écris à l'ordinateur. Il souligne les mots, en rouge ou en vert, selon qu'il s'agit d'une faute d'orthographe d'usage ou de grammaire. Mais attention, l'ordinateur ne voit pas tout. Par exemple, si tu tapes le mot *pour* au lieu du mot *pur*, cette erreur ne sera pas détectée. Pourquoi? Parce que ces deux mots existent et qu'ils sont bien orthographiés. Avec ou sans correcteur, tu gagneras toujours à relire attentivement tes textes.

À propos de relecture, quand tu trouves qu'un mot manque de précision, te tournes-tu vers le dictionnaire de synonymes? Sais-tu utiliser cet outil à bon escient?

Le traitement de texte n'écrit pas à ta place, mais les outils qu'il t'offre peuvent t'aider à améliorer tes textes. Voici une occasion d'explorer quelques-uns de ces outils.

1. Crée un nouveau document dans ton traitement de texte.

2. Rédige un **acrostiche** à partir de ton prénom.

3. Sers-toi de la fiche **4** pour améliorer ton texte.

⭐ 4. Quelles difficultés as-tu éprouvées? Comment les as-tu surmontées?

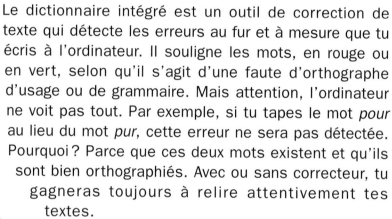

ACROSTICHE n. m. – Petit poème où les premières lettres de chaque vers, lues dans le sens vertical, composent le nom d'une personne, d'une devise, etc.

Dictionnaire CEC intermédiaire,
Les Éditions CEC inc., 1999.

Faire son entrée

Commencer l'année scolaire signifie souvent changer de prof ou d'école, et même perdre des amis. Mais cela signifie aussi découvrir de nouveaux intérêts, connaître de nouvelles têtes.

Pour commencer ton année en beauté, nous t'invitons à renouer avec les camarades que tu as perdus de vue cet été et à agrandir le cercle de tes connaissances et de tes intérêts. Que de nouveautés en vue !

ACTION 1

Rédiger un texte de présentation à partir de son prénom. **É**

ACTION 2

S'informer sur l'origine des noms de famille. **L**

ACTION 3

Exprimer ses réactions sur les personnages et les événements d'un récit. **L A**

ACTION 4

Discuter du fonctionnement du cercle de lecture. **O**

Formuler les règles de fonctionnement du cercle. **É**

Lire une nouvelle et tenir un cercle de lecture. **L A**

ACTION 5

Commencer une correspondance scolaire. **É**

ACTION 1

À la rentrée, il est normal de se présenter. Pourquoi ne pas le faire à partir de mots qui riment avec ton prénom?

1. Pour disposer d'un lot de mots rimant avec ton prénom, remplis la fiche **5** avec les élèves de la classe.

2. Choisis les mots de la fiche 5 qui te permettront de parler de toi. Pour obtenir un meilleur effet, retiens de préférence les **rimes** riches.

3. Rédige ton texte.

4. Surligne les mots qui riment avec ton prénom. Combien en as-tu? Pourrais-tu en ajouter?

5. Corrige ton texte.

6. Comment as-tu procédé pour réviser ton texte? Quelles améliorations as-tu apportées?

7. Transcris ton texte au propre. Fais ressortir les rimes de ton texte en jouant avec la couleur ou la grosseur des lettres.

> **RIME** n. f. – Retour des mêmes sons à la fin de deux vers. *Rimes riches*, où l'identité porte à la fois sur la voyelle accentuée, sur la consonne qui la suit et sur celle qui la précède, comme dans « che**val**/ri**val** ».
>
> *Dictionnaire CEC intermédiaire*, Les Éditions CEC inc., 1999.

L'année dernière, tu as peut-être glissé certains travaux dans ton portfolio. Le pictogramme du portfolio t'indique les documents qui pourraient y figurer cette année. Inaugure-le en y plaçant ton texte.

EN PRIME

• Orner son pupitre avec une étiquette personnalisée, quelle bonne façon de commencer l'année! Pour mettre ton nom en vedette, crée une étiquette à l'ordinateur à partir de la fiche **6**.

ACTION 2

Qu'il soit original ou banal, notre nom nous suit toute notre vie. Voici l'occasion d'en savoir plus long sur l'origine des patronymes, communément appelés noms de famille.

1. Le premier Latendresse était-il un homme doux? La première Larivière vivait-elle au bord d'un cours d'eau? D'après toi, d'où viennent les noms de famille? Note tes hypothèses sur la fiche **7**.

2. Pour vérifier tes hypothèses et en apprendre davantage sur les noms de famille, lis les textes des pages 14 à 17.

⭐3. Comment la formulation de tes hypothèses a-t-elle influencé ta manière de lire ces textes?

4. Quelles hypothèses se confirment? Que retiens-tu de ces textes? Note tes découvertes sur la fiche 7.

5. Fais part à la classe de tes découvertes les plus intéressantes.

EN PRIME

• As-tu un nom de famille original ou courant? Ouvre l'annuaire téléphonique et regarde combien de personnes portent ton nom. Deux ou trois? C'est un nom rare! Une pleine page? C'est un nom populaire!

• Comment le boulanger Fernand Lacroûte pourrait-il s'y prendre pour faire la promotion de son pain? Lis la fiche **8**, puis amuse-toi à créer des slogans rigolos.

Monsieur Latendresse

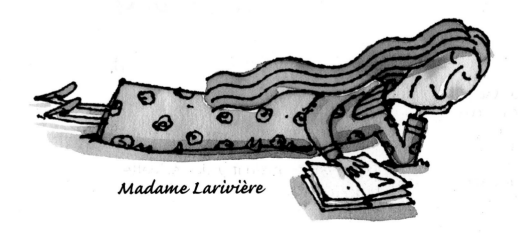

Madame Larivière

NOMS DE
FAMILLE

Au temps jadis, en France, on désignait les hommes par leur nom de baptême, donné par les parents à la naissance. C'était simple, mais lorsque la population a commencé à augmenter, aux alentours du 12e siècle, ce n'était plus très pratique. Comment s'y retrouver quand une dizaine de « Jean » vivaient dans le même village ?

LES SURNOMS

Pour ne pas les confondre, leurs voisins ont ajouté un surnom au nom de baptême, en général une caractéristique physique (le Gros, le Roux), un trait de caractère (le Bon, Vaillant) ou un repère géographique (du Pont, du Bois). Le surnom était différent pour chaque membre de la famille.

Plus tard, on ne sait pas exactement quand, le surnom attribué à une personne est resté accolé au prénom de chaque membre de la famille, se transmettant de père en fils. Plus besoin d'être roux ou courageux pour s'appeler Leroux ou Vaillant ! Par contre, on identifiait beaucoup

plus facilement les membres d'une même famille. Mais comme l'orthographe était à l'époque assez fantaisiste, les noms pouvaient être modifiés lorsqu'ils étaient inscrits sur les registres paroissiaux au moment des baptêmes, des mariages ou des décès. Il faudra attendre le 19e siècle pour que les noms de famille, ou patronymes, soient définitivement fixés.

L'ORIGINE DES NOMS DE FAMILLE

D'où viennent les noms de famille? Souvent, de la place dans la famille (Laîné, Lejeune) ou du lien de parenté (Cousin, Lhéritier). Aux enfants trouvés, on donne généralement le nom du mois où ils ont été abandonnés (Avril, Juin), du lieu où ils ont été trouvés.

Les sobriquets dus au physique ou au caractère sont souvent plus difficiles à porter : Leborgne, Boivin (qui boit du vin…).

Dans les villes, on prend parfois le nom du métier que l'on exerce, si celui-ci n'est pas trop répandu : Boulanger, Potier, Barbier.

Les lieux d'origine ou d'habitation sont aussi très courants. Lorsque c'est le nom d'un lieu (Dubois) ou d'un petit hameau, on sait qu'il s'agit de gens du pays.

Par contre si c'est le nom d'une grande ville, d'une région ou d'un pays étranger : Toulouse, Lenormand, Bourguignon, Langlais, il s'agit presque toujours d'émigrés : personne n'aurait l'idée d'appeler quelqu'un « Lenormand » en Normandie !

PAS TOUJOURS FACILE À PORTER

Toujours est-il que ce n'est jamais celui qui le porte qui a choisi son nom de famille, et il est parfois difficile à porter ! Surtout s'il s'agit de Potdevin ou de Meuredesoif ! Mais il y a des noms qui nous paraissent aujourd'hui ridicules et qui étaient autrefois tout à fait honorables : Salepêteur était le nom donné aux ouvriers broyeurs de salpêtre, Laskar est un mot venant de l'arabe signifiant « soldat » et Fayot désignait le hêtre.

Par contre des noms qui nous semblent très corrects étaient presque des insultes : les Malapert étaient peu intelligents, les Mauduit très mal élevés, les Tardy (ou Tardif) vraiment très lents, les Huet étaient des sots, les Penel en haillons, les Bourel des violents, les Truffaut des menteurs…

Certains noms devenus célèbres ne sont pas plus agréables ! C'est parce qu'il a inventé les conteneurs à ordures que M. Poubelle, préfet de Paris, a légué à ses héritiers un nom gênant. Et plus personne ne veut s'appeler Landru, un assassin sanguinaire du début du siècle. Modifier son nom, en changeant une lettre par exemple, n'est possible que s'il est vraiment ridicule. C'est une démarche officielle longue et difficile, que l'on ne fait pas par simple caprice !

Jean Alessandrini, *Mystère et Charchafouille*, Rageot éditeur, 1997.

Monsieur Meuredesoif

Monsieur Poubelle

Dis-moi ton nom et je te dirai ton métier

Madame Lafleur est-elle devenue fleuriste par choix ou parce que son nom la prédestinait à ce métier? Ce genre d'association entre un nom et une profession s'appelle un *aptonyme*. Le hasard fait parfois de bien curieuses associations.

Madame Lafleur

Dominique Leveau	bouchère
Fernand Lacroûte	boulanger
Jacques Boncœur	cardiologue
Sophie Barbier	coiffeuse
René Cochon	éleveur de bétail
Carole Joly	esthéticienne
Guy Plante	horticulteur
Claude Langlais	professeur d'anglais

Avoir un nom ou deux, telle est la question

Avant 1981, une femme qui se mariait prenait souvent le nom de son mari et si les époux avaient des enfants, ceux-ci prenaient automatiquement le nom du père. Ce n'est plus comme cela maintenant. Aujourd'hui, le Code civil permet officiellement à la femme mariée de garder le nom de famille qu'elle avait à la naissance, tout comme son mari. Les parents décident du nom de famille que leur enfant portera: celui de la mère, celui du père, ou les deux. C'est la même chose pour les couples qui ont des enfants ensemble, mais qui ne sont pas mariés. Ainsi, de nos jours, environ un bébé sur cinq reçoit un nom composé à sa naissance. Imaginons que Xavier Cloutier-Leclerc ait un enfant avec Zoé Aubin-Lamontagne. Pour le nommer, ils auraient le choix parmi 64 combinaisons différentes... Ce serait compliqué! Heureusement, le Code civil prévoit qu'un nom de famille ne peut être composé de plus de deux parties. Tu ne risques donc pas de rencontrer de si tôt un Charles Cloutier-Leclerc-Aubin-Lamontagne dans ta classe!

Des noms... hors du commun

On oublie parfois que certains noms communs tirent leur origine
de personnes célèbres, d'inventeurs ou de gens qui ont marqué l'histoire.

Louis Braille est né en 1809. À l'âge de
trois ans, un accident le rendit aveugle.
À six ans, il rêvait d'apprendre à lire et
à écrire comme les autres enfants
du village. Mais comment ? Grâce à sa
curiosité, son ingéniosité et son entêtement,
il mit au point, à partir de l'âge de quinze ans,
un alphabet composé de petits points
saillants. Avec cette méthode, il pouvait lire
et écrire des mots et des chiffres.
Cet alphabet est aujourd'hui utilisé dans
plusieurs langues. Grâce au braille,
les aveugles peuvent désormais écrire et lire.

L'alphabet braille

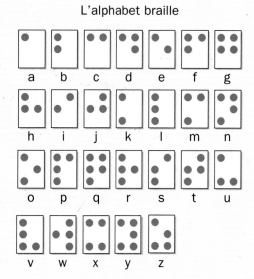

John Montagu, comte de Sandwich
(1718-1792), aimait tant jouer
aux cartes qu'il refusait de quitter
sa table de jeu pour prendre ses
repas. Pour l'accommoder, son cuisinier
eut l'idée de lui servir un morceau de viande
entre deux tranches de pain. Le sandwich
était né ! Cela fit-il gagner le comte ? L'histoire
ne le dit pas.

Joseph de Montgolfier était timide et modeste,
mais il avait un esprit inventif. Un jour, en
regardant une chemise qui séchait au-dessus
de l'âtre, il eut l'idée d'un ballon gonflé
à l'air chaud. Joseph s'associa à son jeune
frère pour réaliser diverses expériences,
qui aboutirent au premier envol
de la montgolfière en 1783.

ACTION 3

Pour Minnie, l'année scolaire commence mal, très mal même. Non seulement elle change d'école, mais la voilà dans une nouvelle ville, pire, une nouvelle province. Pour ses parents, ce déménagement, c'est un rêve, mais pas pour Minnie.

1. Rejoins Minnie à la porte de sa nouvelle école (p. 19-21).

2. Partage tes premières impressions sur le texte avec un ou une camarade.

    • Qu'aimes-tu dans ce récit?

    • Comment trouves-tu Minnie Bellavance? Ce personnage t'est-il sympathique? Pourquoi?

    • Comment trouves-tu la directrice de l'école?

3. Pour mieux savourer ce récit, réponds aux questions de la fiche 9.

4. Comment le fait de répondre à des questions sur le texte t'a-t-il aidé ou aidée à mieux comprendre les personnages et les événements?

5. Comment as-tu fait pour replacer les événements dans l'ordre chronologique?

6. Retrouve ton ou ta camarade et comparez ensemble vos réponses. Discutez de ce que vous pensez des personnages et des événements. Relevez ce qui a changé par rapport à vos premières impressions.

CONNAISSANCE

L

Raconter une histoire dans l'ordre chronologique, c'est raconter les événements dans l'ordre où ils se sont effectivement passés. Pour marquer le déroulement des événements, on les situe dans le temps en indiquant:

• le moment où ils se passent;

Ex.: *On est samedi. À la fin de la journée...*

• l'ordre dans lequel ils se situent les uns par rapport aux autres.

Ex.: *d'abord, puis, alors, ensuite.*

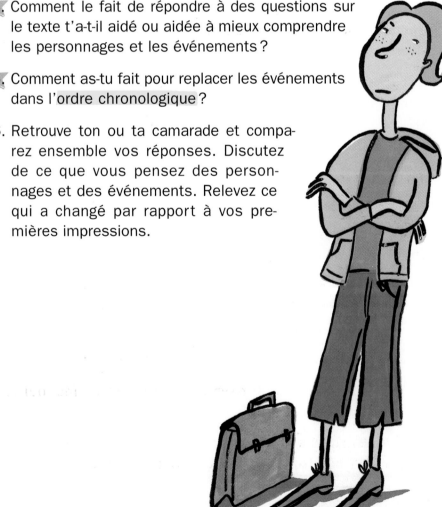

Minnie Bellavance déménage

Minnie Bellavance a tout fait pour empêcher la catastrophe, mais la catastrophe s'est quand même produite. Pour son plus grand malheur, elle vit maintenant à Toronto. Ce matin, elle arrive – en retard, à cause de son père – à sa nouvelle école. Inutile de dire qu'elle est de fort mauvaise humeur.

CLAC! CLAC! CLAC! Les pas de la religieuse s'éloignent dans le corridor. Mon corps est parcouru de frissons. J'aurais envie de sortir en courant à toute allure. M'enfuir. M'éloigner de tous ces changements que je dois subir contre mon gré. Effacer le dernier mois. Et surtout, supprimer le fichu coup de téléphone qui est à l'origine de tous mes malheurs actuels. Ah! si seulement j'en avais le pouvoir!

Pour l'instant, je n'ai pas grand pouvoir. Seulement le devoir de suivre la directrice qui vient me chercher. Et, même si elle dit, dans un français impeccable, être fière de m'accueillir dans son école, il est clair, au timbre de sa voix, que mon retard d'aujourd'hui devra être le dernier.

Papa ne doit pas avoir l'air plus rassuré que moi parce que la directrice juge bon d'ajouter:

— Ne vous inquiétez pas, monsieur Bellavance. Nous prendrons bien soin de votre fille. Vous n'avez qu'à venir la chercher à seize heures.

Puis, avec un petit sourire narquois, elle précise:

— Seize heures… Pas dix-sept! Au revoir et bonne journée, monsieur.

Je regarde papa partir, un motton dans la gorge. J'aimerais avoir les jambes de Bruny Surin et courir le rejoindre sans que personne ne puisse me rattraper. À la place, j'entreprends une visite guidée avec mon « hôtesse ».

Incroyable, mais vrai! On est samedi et je suis triste. Triste de ne pas aller à l'école. Je dois tenir compagnie à Edmond qui n'a toujours pas trouvé de maison. Quant à Anne-Marie, peut-être, si la chance me sourit très, très, très fort, aurai-je le bonheur de l'entrevoir le temps de lui dire «Salut!» Sûrement pas plus!

Exception faite de mon ancienne école, jamais je n'aurais pu imaginer une institution scolaire aussi formidable, aussi extraordinaire, aussi sensationnelle que le Santa Maria Serghenti Immersion Covent.

Oui! oui! oui! C'est bien moi que tu entends parler de la sorte. Je n'en reviens pas encore.

Sitôt papa parti, le premier matin, la directrice s'est détendue. En boutade, elle a déclaré:

— Ah! les parents… il faut tout leur montrer! À ne pas être en retard. À ne pas s'inquiéter pour rien… Tous pareils! Depuis trente ans que je suis ici! Tous pareils que je te dis.

Elle a alors passé un bras autour de mes épaules et on a continué la visite des lieux. Je me sentais beaucoup plus légère. J'ai même eu l'impression que les murs me faisaient un clin d'œil!

Tour à tour, j'ai rencontré les professeurs puis les élèves de ma classe. À la fin de la journée, j'avais douze nouveaux noms dans mon carnet d'adresses. Et des tonnes de sourires dans le cœur!

C'est inouï, toutes les activités offertes. En moins d'une semaine, j'ai déjà eu le loisir de faire une sortie d'équitation, de visiter le Musée des beaux-arts, d'assister à une pièce de théâtre et de découvrir le Vieux-Toronto.

Je me suis inscrite aussi dans l'équipe de soccer, j'ai donné mon nom pour Expo-Sciences, pour chanter dans la chorale et pour participer à l'atelier de poterie. Tous les premiers mardis soirs du mois, je vais aller visiter des personnes âgées dans une résidence et trouver des jeux pour les distraire. Ah oui… j'oubliais.

Je suis également membre du club de lecture «Miam! Miam! Miam! Book» et du groupe «Anglo-Franco» qui favorise les échanges interculturels entre francophones et anglophones. C'est vraiment, vraiment excitant!

La langue n'est pas un véritable obstacle. Les professeurs me parlent lentement et vérifient toujours si j'ai bien compris. Mes nouvelles amies et moi, on gesticule beaucoup, mais on arrive toujours à se comprendre. Certaines se débrouillent assez bien en français. Et, comme je me plais à la folie ici, j'ai l'ambition, pour ma part, d'apprendre rapidement l'anglais. Chut!... Ne le dis pas à maman!

Je ne me reconnais plus! Jamais je n'aurais songé pouvoir penser de la sorte. Même pas une lilliputienne de seconde. Pourtant, c'est la vérité, vrai de vrai!

Moi qui avais l'impression, ces derniers temps, que tout allait de mal en pis et que ma vie était en chute libre, me voilà devant toute une surprise. Oh oui... à une sacreluche de tartelette d'agréable surprise.

Preuve est faite qu'il ne faut jamais se décourager! Mais ça, je n'irai pas l'avouer à mes parents. Du moins, pas pour l'instant!

Dominique Giroux, *Minnie Bellavance déménage* (Coll. Papillon), Éditions Pierre Tisseyre, 2000.

ACTION 4

Minnie adore discuter de ses lectures avec ses nouveaux amis du «Miam! Miam! Miam! Book». Toi, trouves-tu agréable de parler de tes lectures? Que tu connaisses ou non les plaisirs du cercle de lecture, voici une occasion d'y goûter.

1. Pour faire du premier cercle de l'année une réussite, discutez collectivement des règles à respecter, soit:

   • les échéances de lecture;

   • les sujets de discussion;

   • la préparation des rencontres;

   • la participation et le rôle des membres.

2. Survole les deux **nouvelles** pour choisir celle que tu liras (p. 23-24).

3. Comment t'y prendras-tu pour faire un choix éclairé?

4. Pour préparer ta rencontre, note dans un carnet de lecture:

   a) le titre de ta nouvelle et le nom de l'auteur ou de l'auteure;

   b) tes impressions sur les personnages;

   c) des mots que tu as aimés ou des mots amusants;

   d) ce que tu penses de la nouvelle.

5. Participe à ton cercle de lecture.

6. Comment la rencontre de ton cercle s'est-elle déroulée? Les notes de ton carnet t'ont-elles été utiles dans les discussions?

7. Collectivement, revoyez les règles de fonctionnement adoptées par la classe. Faut-il préciser certaines d'entre elles, en ajouter, en retrancher?

8. Transcris dans ton carnet les règles sur lesquelles tout le monde s'entend.

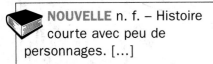

NOUVELLE n. f. – Histoire courte avec peu de personnages. [...]

Extrait du *Robert Junior,* version CD-ROM.

ℱaçon de parler

1re NOUVELLE

Papa, il est prof de français… Oh, pardon: *mon père enseigne la langue et la littérature françaises.* C'est pas marrant tous les jours! Je veux dire: *parfois, la profession de mon père est pour moi cause de certains désagréments.*

L'autre jour, par exemple. En sciant du bois, je me suis coupé le pouce. Profond! J'ai couru trouver papa qui lisait dans le salon.

— Papa, papa! Va vite chercher un pansement, je pisse le sang! ai-je hurlé en tendant mon doigt blessé.

— Je te prie de bien vouloir t'exprimer correctement, a répondu mon père sans même lever le nez de son livre.

— *Très cher père,* ai-je corrigé, *je me suis entaillé le pouce et le sang s'écoule abondamment de la plaie.*

— Voilà un exposé des faits clair et précis, a déclaré papa.

— Mais grouille-toi, ça fait vachement mal! ai-je lâché, n'y tenant plus.

— Luc, je ne comprends pas ce langage, a répliqué papa, insensible.

— *La douleur est intolérable,* ai-je traduit, *je te serais donc extrêmement reconnaissant de bien m'accorder sans délai les soins nécessaires.*

— Ah, voilà qui est mieux, a commenté papa, satisfait. Examinons d'un peu plus près cette égratignure.

Il a baissé son livre et m'a aperçu, grimaçant de douleur et serrant mon pouce sanguinolent.

— Mais t'es cinglé, ou quoi? a-t-il hurlé, furieux. […] Tu pisses le sang! Tu as taché la moquette. File à la salle de bains. […]

J'ai failli répondre: « *Très cher papa, votre façon de parler m'est complètement étrangère. Je vous saurais donc gré de bien vouloir vous exprimer en français.* » Mais j'ai préféré ne rien dire.

De toute façon, j'avais parfaitement compris. Je suis doué pour les langues, moi.

Chou

2ᵉ NOUVELLE

Mme Michat aime beaucoup son fils. Comme elle aime aussi beaucoup les choux, elle l'appelle toujours « mon chou ».

Le fils Michat a horreur d'être pris pour un légume. Il répond à chaque fois :

— Je ne m'appelle pas « mon chou », je m'appelle Michat.

— Oui, mon chou, répond Mme Michat.

Un matin, Mme Michat lave des chaussettes dans l'évier pendant que son fils prend son petit déjeuner. Le dos tourné, Mme Michat dit à son fils :

— Mon chou, dépêche-toi, tu vas arriver en retard à l'école.

Le fils Michat ne répond pas. Mme Michat se retourne et pousse un cri : sur la chaise où était assis son fils, il y a… un chou !

— Mon chou, s'écrie Mme Michat. Mais qu'est-ce qui t'arrive ?

Elle prend le chou dans ses bras, le caresse, le cajole, l'embrasse, le console.

— Mon pauvre chou, mon pauvre chou, dit-elle. Qu'est-ce qu'on va faire ? Il faut pourtant que tu ailles à l'école ! […]

Tout à coup, elle a une idée. Elle enfonce un bonnet sur la tête du chou, le pose dans un panier et l'emmène à l'école. Elle va trouver l'instituteur et lui dit en montrant le panier :

— C'est mon chou. Le pauvre chou, il est devenu tout chou.

L'instituteur la regarde d'un air ahuri et dit :

— Mais oui, mais oui, madame Michat. Vous feriez mieux de rentrer chez vous.

Mme Michat lui donne le panier avec le chou et retourne chez elle.

Devinez qui l'attend, affalé sur le canapé, en train de regarder la télévision ? Le fils Michat, évidemment.

Mme Michat s'est fâchée. Et elle n'a toujours pas pardonné à son fils. Maintenant, elle ne l'appelle plus jamais « mon chou », mais, selon les jours, « patate » ou « cornichon ».

ACTION 5

Et si on faisait rimer « rentrée scolaire » avec « échanges **épistolaires** » ? Sors ton plus beau crayon et amorce une correspondance avec un ou une élève de la classe.

1. Pour cette première correspondance, le jumelage se fera au hasard. Prends connaissance du nom de ton correspondant ou de ta correspondante.

2. Réfléchis à ce que tu veux lui dire.

   - Qu'est-ce que l'autre personne sait de toi ? Que veux-tu lui apprendre ?

   - Que sais-tu de cette personne ? Que voudrais-tu savoir d'elle ? **SYNTAXE** ▸ **p. 62**

3. Pour t'aider à rédiger ta lettre, observe la lettre modèle (p. 26).

4. Écris ta lettre. Tu peux ajouter une touche d'originalité :

   - en dessinant quelque chose dont tu parles ;

   - en illustrant un mot ou une partie de mot par un rébus ;

   - en insérant un autocollant.

5. Comment la lettre modèle t'a-t-elle permis de mieux organiser ton texte ? Comment as-tu procédé pour donner fière allure à ta lettre ?

6. Relis-la pour éliminer toute trace de faute.

7. Remets ta lettre à ton correspondant ou à ta correspondante. Il ne te reste plus qu'à attendre sa réponse.

ÉPISTOLAIRE adj. – [...] Qui a rapport à la correspondance par lettres. [...]

Extrait du *Petit Robert de la langue française*, version CD-ROM.

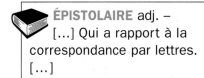

Pour masquer une faute, utilise un correcteur liquide ou cache-la par un petit dessin.

EN PRIME

- Souhaites-tu entreprendre une correspondance avec quelqu'un d'une autre ville, d'une autre province ou même d'un autre pays ? Demande l'aide de ton enseignant ou de ton enseignante.

Le mardi 22 septembre 200. **Date**

Pour commencer, écris une formule de civilité (l'appel) suivie d'une virgule : *cher camarade, cher ami, ma chère,* etc.

Chère Julie,

Nous sommes dans la même classe depuis deux ans et nous nous connaissons à peine. Ce que je sais de toi, c'est que tu es une mordue des sports. Joues-tu toujours au hockey sur gazon ?

En posant des questions à Julie, Antoine l'invite à lui répondre.

Entame un paragraphe pour développer une nouvelle idée.

Moi, ma passion, ce sont les animaux. Mon chien s'appelle Balzac, il est marron et blanc. Mon rêve, c'est de devenir vétérinaire. Toi, aimes-tu les animaux ?

As-tu des frères ou des sœurs ? Sont-ils plus vieux ou plus jeunes que toi ? J'ai une petite sœur, Émilie. Elle vient d'avoir 6 ans.

Termine par une formule de politesse (la salutation) suivie d'une virgule : *ton ami, au revoir, à bientôt,* etc.

Amicalement,

Antoine

Signe ta lettre.

Écris ton nom et ton adresse si ton destinataire ne la connaît pas.

Antoine Laframboise
156, rue Macamie
Alma (Québec) P1T 4K6

Tu peux dessiner ou illustrer un mot.

Le post-scriptum (P.-S.) est une note brève ajoutée au bas de la lettre, après la signature.

P.-S. – Cet été, j'ai reçu en cadeau un 🐱 que j'ai nommé Griffon.

PROJET

DOSSIER À l'école du changement

Depuis la première école fondée en 1658 par Marguerite Bourgeoys, l'école québécoise a-t-elle changé un peu, beaucoup, énormément? Et l'école de demain, sera-t-elle bien différente de celle que tu connais aujourd'hui?

Dans ce premier dossier, tu auras l'occasion de concevoir avec tes camarades un projet sur le thème de l'école. Tu pourras en apprendre un peu plus sur les écoles d'hier et d'aujourd'hui ou te projeter dans l'avenir et imaginer celles de demain.

Pour réaliser ton projet, tu utiliseras un document important que tu connais sans doute: le contrat de projet.

Voici le parcours que nous te proposons pour la réalisation d'un projet.

Tour de piste
- Exprimer ses idées.
- Lire des textes pour s'informer.
- Ébaucher des idées de projets.
- Former une équipe.

Chacun son rôle
- Préciser le but du projet.
- Répartir les tâches.
- Faire sa recherche.

Mise en scène
- Choisir en équipe l'information utile à la réalisation du projet.
- Organiser l'information retenue.
- Planifier sa présentation.

Le lever du rideau
- Présenter sa production.
- Évaluer sa participation au projet.

Tour de piste

Remue-méninges

1 Sur la fiche **10**, note ce que tu sais de l'école d'hier et d'aujourd'hui et ce que sera l'école de demain selon toi.

2 Fais part de tes réponses à la classe et écoute celles des autres. Sur ta fiche, mets un **?** à côté des éléments que tu aimerais vérifier après la discussion.

3 Pour en apprendre plus sur les écoles d'hier, d'aujourd'hui et de demain, lis les textes du dossier (p. 30-34).

4 À l'aide des textes, retouche ton tableau de la fiche 10.

a) Ajoute de nouveaux éléments.

b) Efface les **?** des éléments que les textes viennent confirmer.

c) Trace un **X** sur ceux que les textes contredisent.

5 Qu'est-ce qui se ressemble dans les écoles d'hier, d'aujourd'hui et de demain ? Qu'est-ce qui est différent ? Participe à la mise en commun.

6 Quel aspect de l'école aurais-tu le goût d'explorer ? Comment l'aborderais-tu : en fouillant le passé ? en te projetant dans l'avenir ? en examinant le présent ? en comparant les écoles de différentes époques ?

7 Fais part de tes idées de projets à la classe. Au besoin, inspire-toi des sujets proposés dans l'encadré.

IDÉES DE PROJETS

- Mettre en scène des personnages de l'école du passé ou de l'avenir.

- Mettre en scène une rencontre entre deux enseignants, l'un ou l'une d'autrefois et l'autre d'aujourd'hui.

- Faire un croquis des salles de classe de l'école d'hier ou de demain.

- Présenter sur une affiche l'horaire d'une journée de classe d'une école de l'avenir.

- Présenter dans un tableau les disciplines scolaires de l'école de demain.

- Comparer les manuels utilisés dans deux écoles actuelles.

- Recueillir des témoignages de parents ou de grands-parents sur les écoles de leur temps.

- Comparer le matériel des classes d'hier, d'aujourd'hui et de demain.

- Faire le portrait d'un enseignant ou d'une enseignante de l'école du passé ou de l'avenir.

Choix du sujet et formation des équipes

8 Parmi tous les sujets proposés, choisis-en trois que tu aimerais aborder. Joins-toi à trois élèves qui ont retenu ton sujet favori. Si vous êtes trop nombreux, joins-toi à des élèves qui ont retenu ton deuxième ou ton troisième choix.

9 Sur la fiche **11**, remplissez ensemble la section TOUR DE PISTE de votre contrat de projet.

10 Que t'a apporté le fait de noter tes connaissances sur le sujet avant de lire les textes?

LA JOURNÉE D'UNE MAÎTRESSE D'ÉCOLE

« Il y a cinquante ans, peu de jeunes filles pouvaient devenir maîtresses d'école. Je pense que j'ai été chanceuse d'obtenir un diplôme me permettant de faire l'école », de dire Noëlla Martin, retraitée de l'enseignement.

Voici comment se passait une journée d'hiver dans une école de rang.

Je me levais à l'aube. Ma première préoccupation était d'allumer le poêle à deux ponts. J'y cuisais mon déjeuner. Ensuite je me lavais la figure dans un grand bol d'eau claire.

Mes élèves n'avaient pas tous le même âge. Certains étaient en première année, d'autres en septième ; mais tous s'entendaient assez bien. Je rédigeais minutieusement ma préparation de classe adaptée à chacune de mes divisions et puis, j'écrivais les travaux de chaque division au tableau noir.

À partir de 8 heures, mes élèves, grands et petits, arrivaient par famille. La classe commençait à 9 heures. Je leur enseignais le catéchisme, l'histoire sainte, le français, l'arithmétique, la bienséance, l'hygiène et les travaux manuels. Ils recevaient même des notions d'agriculture, d'anglais et de chant.

À midi, je sonnais la cloche pour annoncer l'heure du dîner. Les enfants ouvraient alors les sacs de papier qui contenaient leur repas. Je me retirais momentanément dans ma cuisine pour mon propre repas. Jusqu'à une heure, les élèves

Autrefois, les enfants de la campagne n'allaient pas à l'école du village ou de la ville. Les autobus scolaires n'existaient pas et les parents n'avaient pas le temps de les conduire eux-mêmes à l'école. Afin de permettre aux enfants d'y aller, on a alors pensé construire, un peu partout dans la campagne, des petites écoles qu'on a appelées les écoles de rang.

On les appelait ainsi parce que les gens les construisaient au milieu d'un rang, près du plus grand nombre possible d'enfants. Pendant plus de 150 ans, les écoles de rang ont permis aux Québécois de la campagne d'obtenir leur diplôme d'études primaires.

L'âme de l'école de rang, c'était la maîtresse d'école. Après les parents et le prêtre, elle jouait le rôle le plus important dans la destinée des enfants. À la fois surveillée et soutenue par l'inspecteur d'école, le curé du village, les commissaires et les parents, l'institutrice transmettait nos valeurs sociales et religieuses.

pouvaient s'amuser dehors. De nouveau, la cloche sonnait.

À 4 heures, les écoliers retournaient chez eux. À la lueur de la lampe à l'huile, je corrigeais les travaux, préparais les bulletins. Dans un cahier spécial, appelé le journal d'appel, je notais les présences et les absences de la journée. Je faisais également le ménage de l'école.

Peu avant minuit, j'emplissais le poêle de grosses bûches et je profitais des bienfaits d'un sommeil réparateur qui me permettait de recommencer le lendemain.

Inspiré de *L'école de rang*, Hélène Renault, © 2002
Société Saint-Jean-Baptiste.

Marguerite Bourgeoys, première institutrice au Canada

MARGUERITE BOURGEOYS

Marguerite Bourgeoys est née en 1620 en France. M. de Maisonneuve, le fondateur de Ville-Marie (aujourd'hui Montréal), lui offrit de venir enseigner au Canada. À son arrivée à Montréal, elle aida à soigner les malades en attendant qu'il y ait assez d'enfants en âge d'aller à l'école. En 1658, M. de Maisonneuve lui donna une vieille étable, qui allait devenir la première école du Canada. Marguerite nettoya l'étable et utilisa le second étage pour en faire sa demeure. Un an plus tard, elle donnait son premier cours, devenant ainsi la première institutrice du Canada.

Le matériel scolaire

Il y avait au maximum deux tableaux, une carte géographique accrochée au mur, un globe terrestre, un boulier, une clochette, une horloge, un thermomètre, un dictionnaire et un manuel pour l'enseignante. Les parents achetaient les manuels, les cahiers de notes, les ardoises et les étuis à crayons au magasin général. S'il manquait des cahiers de notes, les élèves s'en bricolaient un avec les versos d'enveloppes qu'ils attachaient ensemble avec une ficelle. Pour écrire, ils pouvaient prendre toutes sortes de papiers comme un calendrier ou des étiquettes de boîtes de conserve.

Élèves de l'école La Rose-des-Vents, classe de Hélène D'Amours, Cindy Proulx.

Le tour du monde en... 30 élèves

Je m'appelle Lucie et j'enseigne au primaire depuis plus de cinq ans. L'année dernière, j'ai quitté mon village natal pour venir enseigner à Montréal. Ma nouvelle école, située dans le quartier Côte-des-Neiges, est multiethnique. Ce qui est amusant, c'est que ma classe est comme une petite représentation du monde entier!

Je me souviendrai toujours de ma première journée de classe dans cette école. J'avais beaucoup de difficulté à lire les noms de certains élèves sur ma liste de présence. Heureusement, les enfants m'ont appris à prononcer leurs noms correctement: Zhengchum Song, Henrietta Tioutchev, Flavien Ribeirio, Raphaëlle Van Riebeeck. Chaque fois que je me trompais, tout sourire, ils me reprenaient.

Je suis vraiment heureuse d'enseigner ici. Grâce à mes élèves, j'ai fait plein de découvertes. J'ai goûté de nouveaux mets, appris de nouveaux mots, découvert l'importance de certaines fêtes.

J'aime toujours retourner dans mon village natal pour y voir ma famille. Mais je ne quitterais plus ma famille adoptive!

Tous en classe

Au primaire, les élèves passent environ 25 heures à l'école par semaine. Ils consacrent plus de la moitié de ce temps au français et à la mathématique, les deux disciplines de base. Ils reçoivent l'enseignement moral ou l'enseignement moral et religieux et apprennent à parler anglais. Avec la géographie, l'histoire et l'éducation à la citoyenneté, ils découvrent la diversité des sociétés et leur organisation. Ils explorent la science et la technologie pour mieux comprendre le monde qui les entoure. Leur créativité s'exprime notamment pendant les périodes consacrées à la danse, à la musique, aux arts plastiques ou à l'art dramatique. Et pour garder la forme? Rien de mieux que l'éducation physique.

Ouf, l'horaire des élèves d'aujourd'hui est bien rempli! Peut-être penses-tu qu'il en a toujours été ainsi? Ton grand-père a-t-il eu la chance d'étudier la musique? Et dans 30 ans, la géographie sera-t-elle toujours enseignée? Si oui, gageons que les professeurs disposeront d'outils très perfectionnés pour emmener leurs élèves faire le tour du monde... en trois dimensions!

C'EST POUR DEMAIN

Voici l'emploi du temps de Vincent, 12 ans, élève, vers les années 2020.

8 h Avant de partir au collège, Vincent vérifie le contenu de son sac. Un micro-ordinateur portable, un CD (contenant les manuels scolaires du jour et une encyclopédie), un bloc-notes et des stylos: tout y est. Il vérifie qu'il a bien téléchargé l'emploi du temps de la journée, et court prendre le bus.

9 h Cours d'histoire. Au programme ce matin: la civilisation romaine. Pour illustrer la leçon, l'enseignante organise une « visite virtuelle » de la Rome antique, sur un site Web qui permet de déambuler dans une reconstitution de la ville en images de synthèse. Elle demande aux élèves de résumer la visite dans une rédaction, qu'ils devront envoyer sur sa boîte aux lettres électronique avant trois jours.

11 h Cours de grec. Comme Vincent est le seul de sa classe à avoir demandé cette option, il se rend dans la salle de télétravail pour suivre en direct, sur écran, la leçon prodiguée par un enseignant à 50 kilomètres de là.

14 h Cours d'anglais. Aujourd'hui, la classe dialogue – grâce à un système de visio-conférence – avec les élèves d'un établissement britannique, dans le cadre d'un « cyber-jumelage ». Chaque élève a un correspondant, avec qui il dialogue par courrier électronique, échangeant des devoirs et des documents.

16 h Cours de physique. La classe assiste à une expérience donnée à plusieurs centaines de kilomètres de là, dans un laboratoire spécialisé de l'Éducation nationale. Les élèves et le professeur peuvent ensuite interroger un spécialiste.

18 h Rentré chez lui, Vincent se plonge dans ses devoirs. Un peu faible en français cette année, il suit deux soirs par semaine des cours de rattrapage sur un site Web spécialisé. Avant d'aller dîner, il envoie sur le serveur du collège les devoirs à rendre pour le lendemain, et télécharge une mise à jour de ses manuels scolaires. Un dernier coup d'œil à sa messagerie – un copain lui demande son aide pour l'exercice de biologie – et il referme son portable.

© Dossier Familial, janvier 2000.

L'ÉCOLE DES ANNÉES 2020

L'enseignement en ligne, des classes virtuelles et des livres électroniques constitueront une part importante de l'école des années 2020. De nombreux enfants en âge préscolaire disposeront d'instituteurs virtuels. Les activités de groupe, les voyages éducatifs et les livres imprimés ne disparaîtront pas, mais ils seront éclipsés par les nouvelles techniques d'apprentissage.

La fin de l'imprimerie?

L'arrivée de livres électroniques à un prix abordable, à partir de 2010, pourrait révolutionner notre manière de lire. Il s'agit de machines électroniques légères capables de stocker le contenu de plusieurs livres téléchargés à partir d'Internet. Un seul livre électronique pourra contenir tous les manuels dont a besoin un écolier ou un étudiant. Le lecteur pourra même y griffonner des annotations avec un stylo électronique.

L'école chez soi

Vers 2030, les élèves travailleront la plupart du temps chez eux. Des cours leur seront donnés par des systèmes de projection holographique, c'est-à-dire à trois dimensions, tandis que des liaisons à haut débit permettront de réunir professeurs et élèves dans une classe virtuelle. Le temps passé ensemble entre camarades d'école demeurera cependant une composante importante de l'éducation.

Formations continues

L'école ne sera pas terminée après l'âge de 16, 18 ou 21 ans. L'enseignement se poursuivra tout au long de la vie. À l'ère de l'information, en effet, il faudra acquérir continuellement de nouvelles connaissances et compétences.

LE MATÉRIEL DE DEMAIN

- Par rapport aux ordinateurs, les livres conservent des atouts précieux. Ils sont bon marché, portables et permettent d'accéder facilement à l'information. Cependant, au cours des prochaines décennies, ils seront probablement remplacés par des livres électroniques.

- Chaque classe d'âge peut bénéficier de l'enseignement assisté par ordinateur. La possibilité d'envoyer des cours interactifs et des modules d'enseignement sur Internet bouleversera l'enseignement au 21e siècle.

- Des casques et des gants de réalité virtuelle équiperont de nombreux foyers et écoles des années 2020. Les techniques de réalité virtuelle peuvent aider à expliquer des thèmes compliqués, par exemple la structure atomique des éléments, d'une manière captivante et efficace.

Larousse junior du futur
© Larousse/HER 2000, article
L'école des années 2020.

Chacun son rôle

Formulation du but

1 Pour préciser votre projet, posez-vous les questions suivantes : que fait-on ? pourquoi le fait-on ? pour qui le fait-on ? Transcrivez votre but dans votre contrat de projet à l'endroit approprié.

Recherche, collecte et choix de l'information

2 Quelle information complémentaire devez-vous chercher pour atteindre votre but ? Où la trouverez-vous ? Remplissez la section CHACUN SON RÔLE de votre contrat de projet.

3 Pendant votre recherche, prenez des notes sur l'information liée à votre sujet.

4 Comment le fait de prendre des notes t'a-t-il aidé ou aidée à rassembler l'information importante sur ton sujet ?

5 Comment as-tu organisé ta recherche pour respecter les délais fixés dans le contrat de projet ?

STRATÉGIE

L

Pour prendre des notes :

• Écris sur une feuille le sujet de ta recherche.

• Au fil de ta lecture, note les phrases qui répondent à ce que tu cherches. Prends soin de noter la référence.

Mise en scène

Organisation de l'information et planification de la présentation

1 À partir de tes notes, communique les résultats de ta recherche à tes partenaires.

2 Dans la documentation trouvée, choisissez ensemble les renseignements qui sont liés au but de votre projet et à l'époque que vous avez retenue.

SOS

Pour chercher de l'information dans Internet, utilise un moteur de recherche. Tu peux faire une recherche à partir d'un seul mot clé ou d'une combinaison de mots clés.

Ex. : école + autrefois
+ Québec

CONNAISSANCE
É O

Pour marquer une comparaison, utilise les mots *comme*, *plus que*, *moins que*, *contrairement à*, *mais*, *au lieu de*, *comparativement à* ou *par contre*.

STRATÉGIE
O

Pour faire participer les auditeurs, on peut leur poser des questions pour :

- avoir leur avis ;

- les faire réfléchir à un point précis ;

- vérifier s'ils ont bien compris.

3 Si vous faites une comparaison entre les écoles de différentes époques, faites ressortir les ressemblances et les différences entre les éléments comparés.

4 Décidez de la forme que prendra votre production et rassemblez le matériel nécessaire.

5 En quoi le contrat de projet a-t-il été utile pour organiser l'information ? Pour trouver la manière de présenter les données ?

6 Prévoyez une manière de faire participer la classe pendant la présentation de votre production.

7 Remplissez la section MISE EN SCÈNE de votre contrat de projet.

8 De quelle façon as-tu participé à la mise en scène du projet ? Comment as-tu pris part aux décisions ?

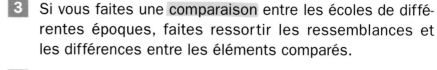

Le lever du rideau

Présentation de la production

1 Revoyez le déroulement de votre présentation. Remplissez la section LE LEVER DU RIDEAU de votre contrat de projet.

2 Comment as-tu collaboré à la réalisation de ce projet ?

3 Comment le contrat de projet t'a-t-il aidé ou aidée à planifier ton projet et à le mener à terme ?

4 Note dans ton contrat le défi que tu comptes relever dans le prochain projet.

Avoir du métier

On t'a sûrement demandé plus d'une fois : « Que feras-tu quand tu seras grand, quand tu seras grande ? » Même si tu n'as encore ni métier, ni profession, tes intérêts, tes rêves et tes passions donnent déjà des indices sur ce que tu aimerais faire plus tard. Voici l'occasion de te projeter « dans l'avenir ».

Plus tard...
moi je serai infirmière
moi je serai militaire
moi je serai boulangère
moi je serai fonctionnaire
moi je serai fromagère
moi je serai parlementaire
moi je serai ouvrière
moi je serai diamantaire
et toi, et toi
tu seras quoi ? [...]

Jean-Pierre Balpe, *Promenade en poésie*, Magnard, 1988.

AU BOULOT 1

S'informer sur le métier de ses rêves. **L**

Interroger ses camarades pour deviner le métier de leurs rêves. **O**

AU BOULOT 2

Mieux comprendre la notion de travail. **L**

AU BOULOT 3

Créer un métier farfelu. **L**

AU BOULOT 1

Combien de métiers as-tu déjà rêvé d'exercer ? Aujourd'hui, quel est le métier de tes rêves ? Et si tu invitais tes camarades à le deviner ?

1. Voici un jeu que nous te proposons.

JOUER LE JEU

- À tour de rôle, un joueur ou une joueuse se fait interroger par ses camarades qui cherchent à découvrir le métier de ses rêves.

- Si, après deux minutes, personne n'a identifié son métier, le joueur ou la joueuse à qui on a posé des questions donne un indice. Si cet indice s'avère inutile, alors il ou elle révèle son métier.

2. En vue de répondre aux questions de tes partenaires, fais une recherche sur le métier que tu rêves d'exercer. Sers-toi de la fiche **12** pour noter les renseignements recueillis.

3. Où trouveras-tu l'information sur le métier de tes rêves ?

4. Écoute les consignes touchant la formation des équipes.

5. Au jeu ! Sers-toi de la fiche 12 pour trouver des idées de questions à poser à tes partenaires.

Ex. : Ce métier est-il défini dans le dictionnaire ? À quelle lettre ?

Dans ce métier, travaille-t-on avec des gens ou avec des objets ?

6. À la fin de la partie, discutez de vos métiers respectifs.

   a) Explique à tes camarades pourquoi tu rêves d'exercer ce métier.

   b) Interroge-les pour connaître les intérêts et les passions qui se cachent derrière le choix de leur métier.

7. Comment ce jeu t'a-t-il permis de connaître un peu plus tes partenaires ?

8. Les membres des autres équipes vous connaissent-ils bien ? Pour le savoir, préparez-leur un petit jeu d'association.

   a) Dans la colonne de gauche, écrivez les noms des métiers de vos rêves à la forme masculine et féminine.

   b) Dans la colonne de droite, notez vos prénoms dans le désordre.

      Ex.:

A) Pilote d'avion	1) Vanessa
B) Mécanicien, mécanicienne	2) Donavan
C) Illustrateur, illustratrice	3) Michael
D) Cuisinier, cuisinière	4) Émilie

   c) Remettez votre feuille à une autre équipe. Demandez-leur d'associer les métiers aux prénoms. Voient-ils juste ?

AU BOULOT 2

Que sais-tu au juste du monde du travail ? Voici pour toi l'occasion de t'en faire une idée plus précise.

1. Selon toi, pourquoi les humains travaillent-ils ? Partage tes idées avec un ou une camarade.

2. Pour étoffer vos points de vue :

   a) lisez le texte *Le travail et l'argent* (p. 41-43) ;

   b) discutez du texte à partir des questions placées en marge.

3. Comment les questions en marge du texte t'ont-elles aidé ou aidée à préciser ton point de vue ?

4. Répondez par écrit à la question du n° 1 et comparez votre réponse à celle d'une autre équipe.

5. Pour mieux expliquer un concept, une idée, on peut établir un parallèle ou une comparaison entre deux réalités.

   a) Dans quelle partie du texte que tu viens de lire les auteurs procèdent-ils ainsi ?

   b) À quoi comparent-ils le travail des humains ?

   c) Par quel procédé les auteurs font-ils ressortir cette comparaison ?

CONNAISSANCE
L

Pour établir une comparaison, on met en parallèle des objets, des personnes, des événements ou des phénomènes en faisant ressortir leurs ressemblances et leurs différences.

EN PRIME

• Sais-tu quel genre de travail fait le cheminot ? Et la géologue, que fait-elle ? Associe les métiers à leurs définitions dans la fiche 13.

LE TRAVAIL ET L'ARGENT

Brigitte Labbé et Michel Puech sont deux auteurs qui aiment bien faire réfléchir les enfants aux choses importantes de la vie. Ensemble, ils se sont penchés sur le monde du travail afin d'apporter des réponses aux questions que se posent bien des enfants de ton âge.

LE TRAVAIL CONSTRUIT LE MONDE

Depuis des milliers d'années, les rossignols font leurs nids de la même manière. Rien n'a changé. Et quand un rossignol a construit son nid, il s'arrête, il ne le décore pas.

Les hommes, eux, ont d'abord habité dans des cavernes, puis dans des huttes. Ils ont peint des dessins sur les murs des cavernes, ils ont eu l'idée de prendre des branches d'arbre pour faire des cabanes. Ils construisent maintenant des centaines de maisons différentes, des carrées, des rectangulaires, des très hautes, des petites, en bois, en fer, en verre… L'homme ne construit pas les mêmes maisons depuis le début du monde. Il ne travaille pas juste pour avoir un endroit où s'abriter de la pluie, du froid et dormir tranquille. Il travaille pour décorer les maisons, pour qu'elles soient plus belles, plus agréables, plus solides, plus grandes.

Depuis des milliers d'années, les tigres mangent des gazelles, toutes crues. Quand il est rassasié, le tigre s'arrête de chasser. Quand il a de nouveau faim, il repart chasser et mange exactement la même chose.

L'homme, lui aussi, mangeait de la viande de gazelle crue. Et puis, il a commencé à la cuire, à faire des réserves, à inventer des recettes : l'homme ne travaille pas juste pour se nourrir. Il travaille pour mieux se nourrir.

A. En quoi le travail des humains a-t-il transformé leur façon de se mettre à l'abri ?

B. De quelle manière le travail des humains a-t-il modifié leur façon de se procurer de la nourriture ?

Depuis des milliers d'années, les ours ont la même fourrure pour se protéger du froid.

L'homme, lui, a commencé à se tailler des vêtements dans des peaux de bêtes, il a fait des vêtements chauds pour l'hiver, il en dessine sans arrêt des différents, de toutes les couleurs. Il ne travaille pas juste pour s'habiller, mais aussi pour que ce soit confortable, doux, joli, pour être beau, pour plaire aux autres.

Si on regarde l'histoire des hommes, on se rend compte que l'homme ne travaille pas seulement pour se nourrir et rester en vie. L'homme travaille et transforme le monde. Évidemment, quand les adultes vont à leur travail le matin, on ne pense pas qu'ils partent construire le monde ! Mais si un homme des cavernes revenait sur Terre aujourd'hui, il verrait bien que le travail des hommes a complètement changé le monde. […]

LE TRAVAIL, C'EST DUR

L'homme a commencé à travailler tout simplement parce qu'il ne vit pas dans l'abondance : il faut qu'il trouve sa nourriture, qu'il s'abrite, qu'il se protège des animaux sauvages…

Comme c'est obligatoire, on pense tout de suite que le travail est quelque chose d'embêtant. Parce que personne n'aime les choses obligatoires.

Aller à l'école, c'est un travail, c'est obligatoire. Si les enfants allaient à l'école uniquement les jours où ils ont envie d'y aller, on appellerait ça un jeu, ou une activité.

On le voit bien que le travail ne fait pas sauter de joie ! Les adultes ne disent pas toujours qu'ils aiment travailler. Quelquefois, ils se plaignent. D'ailleurs, dans une langue que les hommes parlaient il y a très longtemps, le mot « travail » voulait dire « instrument de torture ».

C. En quoi le travail des humains a-t-il changé leur façon de se protéger du froid ?

D. Qu'est-ce qui distingue le travail du jeu ?

C'est dur de labourer les champs sous le soleil ou sous la pluie, c'est dur de se lever la nuit pour cuire le pain et les croissants, c'est dur de rester assis des heures devant un ordinateur, c'est dur de travailler… mais ce n'est pas dur pour rien.

CE N'EST PAS DUR POUR RIEN : C'EST UTILE

L'homme, par son travail, produit des choses : l'agriculteur produit des pommes de terre, le serrurier des clés, le couturier des vêtements, l'architecte des dessins de maison…

Les premiers hommes ont taillé des pierres pour faire des couteaux, ils ont creusé des trous dans la neige pour conserver la viande au froid comme dans un réfrigérateur, ils ont sculpté des bâtons pour fabriquer des flèches. Ils ont fabriqué beaucoup de choses utiles pour vivre.

Le travail est dur, mais utile : on a besoin des produits du travail pour que la vie soit plus facile, plus confortable, plus agréable.

Le menuisier vient de construire une belle chaise. Il la regarde et pense : « Cette chaise, c'est le fruit de mon travail. »

Il a produit quelque chose de très utile : une chaise pour s'asseoir. C'était long et fatigant, il a transpiré, fait des efforts, il s'est peut-être fait mal en taillant le bois ou écrasé les doigts avec son marteau. C'était dur, mais il a fabriqué quelque chose d'utile. En plus, cette chaise, il la trouve belle et confortable. Il est content de lui, il est fier de l'avoir faite.

En fait, le travail de l'homme n'est pas seulement utile : le travail peut aussi rendre heureux.

© 2000, Éditions Milan, Brigitte Labbé
et Michel Puech, *Le travail et l'argent*
(Coll. Les goûters philo).

> E. Quels avantages les humains tirent-ils de leur travail ?

> F. Quelle satisfaction les humains tirent-ils de leur travail ?

AU BOULOT 3

Que dirais-tu de participer à la création d'emplois en inventant un métier farfelu? Ce serait une belle occasion de t'amuser tout en travaillant.

1. Pour t'aider à imaginer un métier farfelu, lis la description de trois métiers farfelus (p. 46).

   a) Aimerais-tu exercer l'un de ces métiers? Pourquoi?

   b) Quelles qualités faut-il pour exercer le métier de *légumologue*? Et ceux de *kioscœur* ou de *télécroqueur*?

   c) Quels sont les avantages liés à chacun de ces métiers?

   d) Quels en sont les inconvénients?

   e) Comment l'auteur a-t-il procédé pour créer le nom de ces métiers?

2. À ton tour d'inventer un métier farfelu en créant un mot-valise.  **VOCABULAIRE ▶ p. 66**

3. Pour t'aider à rédiger la description de ton métier farfelu, remplis une fiche semblable à celle-ci.

   > • Nom du métier : ▭
   >
   > • Définition : ▭
   >
   > • Qualités requises pour l'exercer : ▭
   >
   > • Avantages liés à ce métier : ▭
   >
   > • Inconvénients liés à ce métier : ▭

4. Rédige ton texte en te servant de ta fiche.

5. Demande à un ou une élève de commenter ton texte à partir des points suivants.

   • Le sens de ton mot-valise est-il clair? Crée-t-il un effet comique?

   • Pourrait-on préciser certains noms du texte à l'aide de compléments du nom? 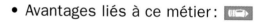 **SYNTAXE ▶ p. 60**

   • Les phrases sont-elles bien structurées?

CONNAISSANCE
É

Pour construire un mot-valise, fusionne le début d'un mot et la fin d'un autre. En combinant le sens de ces deux mots, tu peux créer des effets comiques.

Ex. :
fantôme + pneu**mologue** = *fantômologue*;
pleurnichard + psy**chiatre** = *pleurnichiatre*.

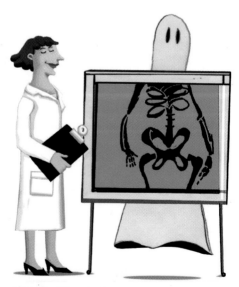

Une fantômologue

Un pleurnichiatre

6. Corrige ton texte en tenant compte des meilleures suggestions de ton ou ta camarade.

7. Métier farfelu n'est pas synonyme d'orthographe fantaisiste. Révise attentivement chaque mot.

   • Est-il bien orthographié ?

   • Est-il bien accordé ? **ORTH. GRAMM.** ▸ **p. 68** **p. 71**

8. De quelle façon as-tu tenu compte des suggestions de ton ou ta camarade ?

9. Quelles ressources as-tu utilisées pour réviser et corriger ton texte ?

10. Transcris lisiblement ton texte. Illustre ton métier d'une photo, d'une caricature ou d'un collage.

11. Vante les mérites de ce nouveau métier à tes camarades.

Kioscœur

Dans sa petite boutique installée sur le trottoir, le kioscœur propose à la vente tous les cœurs du monde : des petits, des gros, des grands cœurs, des gentils, des méchants, des cœurs d'artichaut, des cœurs de pierre, des mous, des durs, des cœurs qui font les jolis cœurs…

Un kioscœur doit avoir le cœur sur la main et du cœur au ventre, il doit savoir parler à cœur ouvert. Ne jamais agir à contrecœur.

> *« Pour atteindre l'amour*
> *il faut voir le kioscœur*
> *Il prépare des mots magiques*
> *Saupoudre de fleurs*
> *Verse un peu de bonheur*
> *Ajoute quelques larmes*
> *Et beaucoup de sentiments*
> *Mélange et sers le tout*
> *Dès le premier rendez-vous ! »*

Légumologue

Le légumologue nourrit, soigne, protège, sélectionne les légumes de toutes sortes et de tous poils. Il en crée même : ainsi le tomaricot sans fil, le petit pois-choux de Pont-de-buis, les Quimerch, le pommelon de terre ou le radigout. C'est un scientifique. Il connaît tout ce qui favorise le bon développement d'un légume : l'ensoleillement, l'habitat, le voisinage… et il les guérit de certaines maladies comme celle de la frite pour les pommes de terre, celle de la citrouille bleue ou plus communément celle de la petite scarole.

Télécroqueur

Pour éviter : cernes, migraines, maux divers et endormissements, le télécroqueur regarde la télévision pour toi. Ça te laisse du temps pour lire, sortir le chien, jouer avec ton hamster, discuter avec tes parents, te faire un casse-croûte de huit mètres de long avec des cornichons et du chocolat noir, de faire de la musique, du saut à l'élastique dans ta chambre ou du patin à « poulettes ». Le télécroqueur te racontera les émissions intéressantes de la journée. Facile puisqu'il est collé au petit écran du saut du lit au coucher.

AVERTISSEMENT : la durée de vie du télécroqueur est, paraît-il, limitée. L'abus de cette activité est dangereux pour la santé… Enfin, c'est ce qu'ils ont dit à la radio !
Nous voilà prévenus !

Georges Grard, *Alphabet des métiers farfelus*, Éditions Grrr…art (Coll. Enfant-Phare), 1999.

À l'écoute des pros

On dit que les gens qui ont du succès sont passionnés par leur travail. La passion seule suffit-elle ? Prends connaissance de ce qu'en disent les pros.

Il faut être tenace, persévérer, se documenter, lire des ouvrages sur la façon d'écrire des livres ou des scénarios, assister à des conférences, suivre des ateliers d'écriture, rêver, s'asseoir et... écrire. C'est ça, le plus difficile : s'asseoir et puis écrire. Il y a tellement de distractions et dix mille bonnes raisons de ne pas écrire !

Robert Soulières

Amoureux des livres, des mots et de la vie, Robert Soulières écrit ses histoires pour les tout-petits et pour les jeunes adolescents. Cet auteur, qui aime faire rire ses lecteurs, les étonne en s'adressant directement à eux dans ses romans.

J'affirme bien haut qu'écrire est le plus beau métier du monde, même si je trouve cela encore très difficile, après avoir écrit vingt romans. Cela semble paradoxal, mais c'est comme ça ! Je relis parfois certaines choses que j'ai écrites et, ma foi, cela me rend fière. Il m'arrive même de me dire « Hé, c'est moi qui ai écrit ça ? C'est bon ! »

J'aime entendre une petite voix, dans une librairie, dire « Achète ça, c'est super ! ». C'est surtout ça, je crois, qui est merveilleux : savoir qu'on fait passer un bon moment à des milliers d'enfants. On se sent utile finalement.

Sylvie Desrosiers

Pour moi, écrire est un grand plaisir. Je n'en reviens jamais d'avoir pu gagner ma vie en faisant ce que j'aime le plus au monde. J'ai pratiqué plusieurs genres d'écriture : conte, roman, scénario, journalisme, théâtre, manuel scolaire. Ça n'a pas toujours été facile, mais dans l'ensemble, je me suis bien amusée. Aux enfants qui rêvent de devenir écrivains, je dis « Écrivez ! C'est un métier qui s'apprend par la pratique. Et soignez votre français puisque c'est votre outil. »

Henriette Major

Moi et les autres

FAIRE PREUVE D'INITIATIVE

Depuis qu'elle a parlé à son cousin Nicolas, Lydia trouve que ça ne bouge pas assez à son école. Elle aimerait, comme lui, avoir la chance de participer à beaucoup d'activités. Nous avons soumis sa lettre à Bernard Massicotte, animateur dans une maison de jeunes. Lis la lettre de Lydia et la réponse de Bernard.

Bonjour,

Cet été, mon cousin du Lac-Saint-Jean m'a parlé de son école. C'est incroyable toutes les activités qui y sont offertes! Il y a une équipe de volley-ball, un club d'échecs, des ateliers de théâtre, un groupe folklorique... Depuis, je trouve que le choix des activités à mon école est plutôt limité. Moi qui aime tant bouger et m'amuser, on dirait bien que je vais m'ennuyer cette année.

Lydia

Chère Lydia,

Si tu souhaites que ton école mette sur pied des activités parascolaires, tu pourrais t'associer avec quelques camarades pour écrire à la direction et faire valoir vos arguments. Mais tu pourrais aussi prendre l'initiative d'organiser toi-même une partie de tes loisirs. Tu m'as l'air d'une fille pleine de vitalité et d'entrain! Voici donc ma suggestion. Dresse une liste des activités que tu aimerais faire. Pour trouver d'autres idées ou des lieux où exercer ces activités, informe-toi à la maison des jeunes de ton coin, au centre de loisirs, à la municipalité, etc. Comme c'est souvent plus agréable et plus motivant de faire une activité avec d'autres personnes, passe une petite annonce dans le site Web de l'école pour te trouver des partenaires.

Je t'encourage à entreprendre cette démarche. Tu en retireras beaucoup de fierté et de satisfaction, et tu développeras en plus de belles relations avec des élèves de ton école.

Bernard Massicotte

Nous te proposons de faire preuve d'initiative à ton tour en te cherchant de nouveaux partenaires pour tes loisirs ou en prenant part à de nouvelles activités.

1. Pour te donner des idées de petites annonces que tu pourrais déposer dans le site Web de l'école, jette un coup d'œil sur les annonces de la fiche **14**.

2. Prépare ta petite annonce, puis rédige-la.

   a) Si tu cherches des partenaires, indique le lieu de l'activité, l'horaire, le nombre de participants demandés, l'équipement nécessaire, etc.

   b) Si tu souhaites vivre de nouvelles expériences, indique lesquelles. Fais part de tes disponibilités, de ton intérêt, etc.

3. Demande à un ou une élève de ta classe de commenter ta petite annonce. Y a-t-il des précisions à apporter? Tiens compte de ses suggestions les plus pertinentes.

4. Apporte les corrections nécessaires.
   ORTH. GRAMM. ▶ **p. 68** **p. 71**

5. Dépose ta petite annonce dans le site Web de l'école et amuse-toi bien!

6. Quelles satisfactions retires-tu quand tu fais preuve d'initiative?

Une langue qui CHANTE

> **CHANSON** n. f. – [...] Texte mis en musique, généralement divisé en couplets et refrain et destiné à être chanté. [...]
>
> Extrait du *Petit Robert de la langue française*, version CD-ROM.

Si tu ne connais pas de mémoire les paroles de ta chanson, tu peux souvent les trouver dans le boîtier de ton cédérom ou dans Internet.

Une **chanson**, c'est une émotion qui s'exprime par la parole et par la musique. Si elle ne capte pas notre attention, la chanson n'est qu'un bruit de fond. Si on en retient les couplets, c'est qu'elle nous plaît!

Voici l'occasion d'en savoir un peu plus long sur la structure d'une chanson et de jouer avec ta chanson préférée.

1. Quel genre de chansons écoutes-tu? Quand écoutes-tu des chansons? Quelle importance accordes-tu aux paroles, à la musique?

2. Fais part de tes titres préférés à la classe.

3. Parmi toutes les chansons qui sont nommées, choisis-en une que tu aimerais examiner de plus près. Joins-toi aux élèves qui ont fait le même choix que toi.

4. En équipe, discutez de ce qui vous plaît dans cette chanson. Est-ce l'histoire qui est racontée? Le vocabulaire utilisé? La façon dont les phrases sont construites? Le mariage de la musique et du texte?

5. Trouvez le texte de cette chanson et apportez-le en classe.

6. À l'aide de la fiche **15**, examine la structure de ta chanson.

7. Ressens-tu les mêmes émotions en lisant le texte de ta chanson préférée qu'en l'écoutant ? Qu'est-ce qui est semblable, différent ?

8. À toi maintenant de façonner à loisir le texte de ta chanson en utilisant une des formules ci-dessous.

- Remplace des mots par leurs contraires.

- Remplace des mots par d'autres mots inventés.

- Remplace des mots par d'autres mots ayant une sonorité similaire.

- Remplace des mots en utilisant la méthode N + 7.

- Ne garde que le premier et le dernier couplet et récris le reste.

- Ne garde que le refrain et récris le reste.

- Change toutes les paroles.

9. Écris ta chanson sur la fiche **16**.

10. En quoi le fait d'avoir étudié deux autres chansons avant de transformer la tienne t'a-t-il été utile ?

11. Compare ton texte final avec ceux des élèves qui ont retenu la même chanson que toi. Que penses-tu de ces différentes versions ?

12. Si ta chanson te plaît, chante-la à tes proches. Tu n'aimes pas chanter ? Alors, récite-la. Et, si ça te chante, enregistre ta chanson.

CONNAISSANCE

É

Pour utiliser la méthode N + 7, relève le premier nom de la chanson. Trouve ce mot dans le dictionnaire puis le septième nom qui le suit. Remplace le nom original par celui-ci. Procède ainsi avec chacun des noms de la chanson.

EN PRIME

- Monte un répertoire de chansons à partir d'un thème qui t'intéresse. Informe-toi auprès de ton entourage pour trouver ces chansons.

- Participe à un concours en soumettant un texte de chanson. Qui sait ? Il pourrait être chanté par un ou une interprète de renom.

ORTHOGRAPHE D'USAGE

Mots cachés

La liste orthographique

Tu connais le topo : un nouveau numéro, une nouvelle liste de 150 mots.

Tu connais l'objectif : un examen attentif, un stockage en mémoire définitif.

1. Trouve un homophone pour chacun des mots ci-dessous et tu verras apparaître 21 mots de la fiche **17**. Note tes découvertes sur une feuille.

   Ex. : sans → sang

a) père	h) fois	o) sept
b) fer	i) hauteur	p) soie
c) conte	j) il	q) sur
d) cygne	k) près	r) taux
e) Dollard	l) nid	s) terre
f) don	m) O.K.	t) thon
g) faim	n) quand	u) très

2. Repère dans ta liste orthographique les mots que tu auras trouvés et coche-les.

   Ex. : ☑ sang

3. Pour conserver ta liste à portée de main, place-la dans ta trousse à outils. Rappelle-toi que ce pictogramme signale un document digne de figurer dans ta trousse.

4. Quels moyens utilises-tu pour retenir l'orthographe des mots à l'étude ?

Sosies en séries

LES HOMOPHONES

Les homophones viennent souvent en duos. Mais on les trouve aussi sous forme de trios et de quatuors.

Introduis l'homophone approprié dans les phrases et les expressions suivantes.

A. cent, sans, sang, sens

   a) Être ◼▶ le sou.

   b) C'est ◼▶ fois mieux.

   c) Se faire du mauvais ◼▶.

   d) Cela va ◼▶ dire.

   e) Mettre sa chambre ◼▶ dessus dessous.

   f) Venez demain ◼▶ faute !

B. foie, foi, fois

   a) Une ◼▶ pour toutes.

   b) Ma ◼▶, oui.

   c) Un pâté de ◼▶.

C. pair, paire, pers, père

   a) Une ◼▶ de chaussettes.

   b) Des yeux ◼▶.

   c) Tel ◼▶, tel fils.

   d) Un cuisinier hors ◼▶.

   e) Un nombre ◼▶.

D. ver, vers, verre, vert

   a) Tourner la tête ◼▶ quelqu'un.

   b) Écrire en ◼▶.

   c) Un ◼▶ de terre.

   d) Aller ◼▶ la droite.

   e) Une tempête dans un ◼▶ d'eau.

   f) Donner le feu ◼▶ à quelqu'un.

   g) Un chemisier ◼▶ foncé.

EN PRIME

• Sais-tu choisir l'homophone qui convient ? Tu le sauras en remplissant la fiche **18**.

• As-tu développé ton goût pour les mots croisés l'année passée ? Oui ? Réclame vite la fiche **19**. Non ? C'est le temps de rattraper le temps perdu !

LES HOMOPHONES

Les homophones sont des lettres, des mots ou des expressions qui ont la même prononciation.

Ex.: *k* et *cas*

  eau, haut, oh, o, ô, au et *aux*

  aussitôt et *aussi tôt*

1 Les homophones se distinguent généralement par :

- une ou plusieurs lettres ;
  Ex.: **c**es, **s**es
    *lai**t**, lai**d***
    ***an**cre, **en**cre*

- un accent.
  Ex.: *ou, o**ù***
    *sur, s**û**re, s**û**r*

2 Le fait de relier des homophones à leur famille de mots aide dans bien des cas à les distinguer.

  Ex.: *chan**t** (chan**t**euse), cham**p** (cham**p**être)*

3 Un mot peut être l'homophone d'une expression.

  Ex.: *plutôt, plus tôt*

    quelquefois, quelques fois

4 Le fait d'écrire différemment des mots qui se prononcent de la même manière permet de les reconnaître instantanément. Au premier *coup* d'œil, aucune confusion possible entre le *cou* et le *coût*.

Pour jouer avec les mots ou pour créer des phrases surprenantes, les homophones sont l'outil idéal.

Voici une de mes trouvailles :
*Des bijoux gagnants
à tous les cous.*

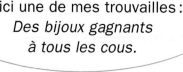

SECTION GRAMMATICALE

SYNTAXE

La rentrée des classes

LES CLASSES DE MOTS

C'était la rentrée et tous les mots étaient impatients de connaître leur classe. Avec qui *rouge* serait-il classé? *Aimer* retrouverait-il ses amis les verbes? Et où irait *celui-ci*?

1. Tu sauras bientôt si tu es habile à repérer la classe d'un mot.

   a) Choisis dans ta liste orthographique:

   - trois verbes qui commencent et se terminent par la même lettre;

   - cinq noms qui commencent par la lettre *c*;

   - quatre déterminants;

   - cinq adjectifs de six lettres;

   - deux pronoms.

   b) Note tes réponses sur une feuille.

   c) Participe à la mise en commun. Note les choix qui diffèrent des tiens.

   d) Comment as-tu procédé pour reconnaître un nom? un adjectif? un verbe?

2. Pour mieux maîtriser les classes de mots, demande la fiche **20**.

STRATÉGIE
É

Pour t'assurer que tu as identifié correctement la classe d'un mot, remplace-le par un mot de la même classe que tu connais bien.

Dans la phrase « Certains enfants ont deux noms de famille », on peut remplacer *certains* par le déterminant *quelques*, *des* ou *plusieurs*. Dans ce cas, *certains* est un déterminant.

Dans la phrase « Certains rêvent de changer de nom », on peut remplacer *certains* par le pronom *ils*, *tous* ou *ceux-là*. Dans ce cas, *certains* est un pronom.

EN PRIME

• Dans la phrase «le rouge te va bien », *rouge* est-il un nom ou un adjectif? Pour tirer les choses au clair, demande la fiche **21**.

3. Relève dans chaque série le mot qui n'appartient pas à la même classe que les autres. Justifie tes réponses.

Ex. : content   récent   **agent**   différent

Agent est un nom alors que *content*, *récent* et *différent* sont des adjectifs.

a) affaiblir
   agir
   agrandir
   avenir

b) appartement
   complètement
   comportement
   traitement

c) grossier
   caissier
   plombier
   policier

d) comparable
   cyclable
   érable
   faisable

e) apercevoir
   bonsoir
   entrevoir
   vouloir

f) contrôle
   drôle
   rôle
   tôle

g) bonheur
   douleur
   fleur
   trompeur

h) ensuite
   fuite
   suite
   truite

i) appel
   arc-en-ciel
   culturel
   hôtel

j) ville
   difficile
   île
   ustensile

k) exploit
   endroit
   étroit
   toit

l) faim
   lendemain
   pain
   soudain

4. Détermine la classe de chaque mot en gras.

               V   N

   Ex.: Je **ferme** la **porte**.

   a) Je **scie** une **branche**.

   b) Je **branche** la **scie** électrique.

   c) Tu **classes** tes **notes**.

   d) Tu **notes** la **classe** d'un mot.

   e) Je **cours** à sa **recherche**.

   f) Mélanie **recherche** ses **notes** de cours.

   g) Assis sur les **marches**, Marc-André **téléphone** à sa mère.

   h) Quelle belle invention que les **téléphones** sans fil !

   i) Le **calme** de la nuit me **calme**.

   j) Sortons ! Tout est **calme**.

5. À l'aide de ta liste orthographique (fiche 17), complète chaque série en ajoutant un mot qui appartient à la même classe que les autres.

   Ex.: aimer, adorer, détester → accepter/accomplir/admirer ou tout autre verbe tiré de la liste orthographique.

   a) loi, roi, envoi, 🖊

   b) bibelot, chameau, réchaud, 🖊

   c) un, huit, vingt, 🖊

   d) ma, ta, sa, 🖊

   e) maire, mer, mère, 🖊

   f) adorer, aimer, raffoler, 🖊

   g) cou, coup, coût, 🖊

   h) logement, logeuse, logis, 🖊

   i) beurre, heure, heurt, 🖊

   j) adorable, égal, fantastique, 🖊

LES CLASSES DE MOTS

Une classe de mots groupe des mots ayant des caractéristiques communes.

	CLASSES DE MOTS	PRINCIPALES CARACTÉRISTIQUES	EXEMPLES
MOTS VARIABLES	Nom	• Souvent précédé d'un déterminant. • Désigne toutes sortes de réalités. • Peut être commun ou propre. • Impose son genre et son nombre aux mots en relation avec lui.	noms communs : *action, amitié, bicyclette, dépanneur, gars, kilomètre, poète* noms propres : *Québécois, Saint-Donat, Lola*
	Déterminant	• Précède le nom. • Exprime une idée de quantité. • Reçoit son genre et son nombre d'un nom.	*cet, chaque, du, les, plusieurs, son, un*
	Adjectif	• Décrit ou précise le nom. • Reçoit son genre et son nombre d'un nom ou d'un pronom.	*affreuse, drôle, écrite, gourmand, jaune, olympique, québécois*
	Pronom	• Remplace souvent un nom ou un groupe du nom.	*je, tu, il, ils, celui-ci, la sienne*
	Verbe	• Se conjugue. • Peut s'employer avec *ne... pas*	*avoir, brûler, faire, finir, rendre, vouloir*
MOTS INVARIABLES	Adverbe	• Peut servir à exprimer la manière, le lieu, le temps, la quantité, la négation, etc.	*certainement, loin, mieux, ne... pas, toujours, très*
	Préposition	• Peut servir à exprimer le lieu, le temps, l'appartenance, le but, etc.	*à, avec, chez, de, sans, sur*

SECTION GRAMMATICALE

Complément d'information

LE COMPLÉMENT DU NOM

Il y a des métiers farfelus comme celui d'*Xplorateur*. Il y a de nouveaux métiers, comme celui de réviseur ou réviseure du groupe du nom. Voici ta mission : exercer le second en examinant le premier.

1. Pour revoir ce que tu sais sur le groupe du nom (GN) et découvrir le métier d'*Xplorateur,* remplis la fiche **22**. 🧰

2. Observe les deux exemples suivants tirés du texte *Xplorateur.*

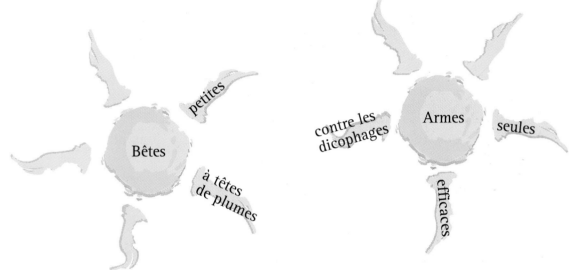

a) Quel est le noyau de chaque GN ?

b) Combien de compléments du nom trouve-t-on dans chaque GN ?

c) Quel est leur rôle ? Qu'apportent ces compléments du nom ? Qu'arriverait-il si on les supprimait ?

d) Parmi ces compléments du nom, lesquels sont des adjectifs ?

e) Quelle règle d'accord s'applique quand le complément du nom est un adjectif ? ORTH. GRAMM. ▸ **p. 68**

★3. De quelle manière l'emploi de compléments du nom pourrait-il t'aider à préciser ta pensée ? À enrichir tes textes ?

CONNAISSANCE
É

Trouver le noyau du GN, c'est repérer le mot obligatoire du groupe, le mot qu'on ne peut pas effacer.

Ex. : les ~~horribles~~ **dicophages**

la ~~dernière~~ **lettre** de ~~l'alphabet~~

LE COMPLÉMENT DU NOM

Le **complément du nom** est un mot ou un groupe de mots qui complète le nom.

Ex.: *Ma **grande** amie voudrait suivre les traces **de Julie Payette**.*
(N) ... (N)

1 L'emploi de compléments du nom permet de préciser le nom, de le qualifier.

Ex.: *Mon amie*
(N)

*Ma **grande** amie*
(N)

*Ma **grande** amie **Daphnée***
(N)

2 On peut trouver plus d'un complément du nom dans un GN.

3 Le **complément du nom** peut prendre la forme:

- d'un adjectif;

Ex.: *Je connais un métier **insolite**.*
(N) (Adj.)

- d'autres éléments, que tu étudieras cette année.

Ex.: *Je pense à la promeneuse **de chiens**.*
(N)

*La personne **qui le pratique** doit adorer les chiens.*
(N)

4 Le **complément du nom** est effaçable. Autrement dit, quand on le supprime, la phrase reste grammaticalement correcte. Effacer le complément du nom sert à isoler le noyau du GN.

Ex.: *La personne **qui le pratique** doit adorer les chiens.*
(N)

Ajouter des compléments du nom, voilà un moyen peu coûteux pour enrichir tes textes!

SECTION GRAMMATICALE

Permis de construction

LA PHRASE DÉCLARATIVE

Comment te bâtir une solide réputation en matière de révision ? Tout simplement en composant une devinette sur toi.

a) Rédige ta devinette selon les règles du jeu.

b) Pour t'assurer de respecter les règles :

- surligne le sujet en bleu, le prédicat (groupe du verbe) en jaune et le complément de phrase en rose ;

  Ex. : Depuis l'année dernière, je collectionne les boîtes à surprises.

- souligne les marques de la négation.

  Ex. : Je ne fais jamais de bêtises.

c) Vérifie l'orthographe de chaque mot.

 d) Comment as-tu procédé pour repérer le sujet ? le prédicat ? le complément de phrase ?

La personne en question

LA PHRASE INTERROGATIVE

Nous avons une question pour toi : la phrase interrogative, qu'est-ce que ça te dit ?

1. Énumère les structures interrogatives que tu connais.

 2. Quels outils t'aideraient à te rappeler ce que tu sais sur la phrase interrogative ?

3. Imagine une entrevue avec une personne qui fait le métier de tes rêves.

   a) Varie les structures interrogatives en alternant les questions ouvertes et les questions fermées.

   b) Les réponses aux questions ouvertes doivent être des phrases déclaratives.

   c) Révise ton entrevue.

JOUER LE JEU

- Ta devinette doit contenir quatre phrases déclaratives.

- Tu dois employer au moins un complément de phrase.

- Tu dois utiliser une phrase à la forme négative.

EN PRIME

- Si tu sens le besoin d'approfondir tes connaissances, demande la fiche **23**.

LA PHRASE INTERROGATIVE

1 La phrase interrogative comporte toujours une marque interrogative.

Marques interrogatives	Exemples
• *Est-ce que*	**Est-ce que** vous aimez votre métier?
• mot interrogatif (ex.: *combien, quel, où, quand*)	**Où** avez-vous étudié?
• inversion du pronom sujet	Est-**il** difficile d'exercer ce métier?

2 Une question est dite:

- fermée quand on y répond par *oui* ou par *non*;

    Ex.: Q: *Vos parents vous ont-ils encouragé à faire ce métier?* R: *Oui.*

- ouverte quand on ne peut y répondre ni par *oui* ni par *non*.

    Ex.: Q: *Depuis combien d'années exercez-vous ce métier?* R: *Dix ans.*

    Une question ouverte demande comme réponse un nom, un adjectif, un groupe du nom, une phrase, etc.

3 Pour poser une question, on se sert surtout de la phrase interrogative. Mais on peut aussi se servir de la phrase déclarative.

    Ex.: *Aimez-vous votre métier?* est une phrase interrogative
    Vous aimez votre métier? est une phrase déclarative

Pour savoir si tu te trouves devant une véritable phrase interrogative, fie-toi aux marques interrogatives et non à la ponctuation.

SECTION GRAMMATICALE

VOCABULAIRE

D'un mot à l'autre

LA DÉRIVATION ET LA COMPOSITION

Stage de formation de mots ouvert à tous. Bienvenue aux apprentis et aux experts !

1. Pour te rappeler ce que tu sais sur la formation des mots par dérivation et par composition, remplis la fiche **24**.

2. Lutte contre le chômage en formant des noms de métiers à l'aide des **suffixes** et de la fiche **25**.

3. Pour te remettre en mémoire quelques préfixes vus l'année dernière, demande la fiche **26**.

4. Forme des mots composés à partir des mots suivants.

   a) porte   b) haut,   c) tôt   d) temps   e) entre
              haute

   Note tes réponses dans un tableau semblable à celui-ci.

MOTS COMPOSÉS		
Unis par un trait d'union	Unis par juxtaposition	Soudés en un seul mot
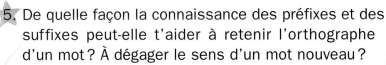		

5. De quelle façon la connaissance des préfixes et des suffixes peut-elle t'aider à retenir l'orthographe d'un mot ? À dégager le sens d'un mot nouveau ?

6. Quel type de mot composé reconnais-tu le plus facilement ? Comment procèdes-tu pour mémoriser l'orthographe d'un mot composé ?

> **SUFFIXE** n. m. – Élément placé à la fin d'un mot pour en former un autre. « Maisonnette » *est formé de* « maison » *et du suffixe* « -ette ».
>
> *Dictionnaire Super Major – 9/12 ans*
> © Larousse-Bordas, 1997.

> **SOS**
>
> Des *gratte-ciels* ou des *grattes-cieux* ? Un *en-tête* ou un *entête* ? Pour vérifier l'orthographe d'un mot composé, ton meilleur allié, c'est encore le dictionnaire.

SECTION GRAMMATICALE

Être dans son élément

LA COMPOSITION SAVANTE

Grande primeur: stage de perfectionnement en composition de mots offert dès maintenant. Assistez en grand nombre à une démonstration gratuite!

1. Que sais-tu sur la composition des mots français?

2. Il existe une autre forme de composition de mots: c'est la **composition savante**. Pour en comprendre le principe, combine des éléments des deux séries suivantes.

ÉLÉMENTS SAVANTS			
Série 1		**Série 2**	
bio-	biblio-	-graphe	-thèque
astro-	grapho-	-logue	
cosmo-	ortho-	-naute	
géo-	photo-	-pédie	

3. Repère l'élément savant commun dans chaque série. Essaie d'en préciser le sens.

   a) parachute, parapluie, parasol, paratonnerre

   b) biologiste, biographe, biosphère

   c) aéroglisseur, aéroport, aéroclub

   d) autobiographie, autographe, automatique, autoportrait

4. Complète chacune des séries en ajoutant un mot contenant le même élément savant. Précise le sens du mot composé obtenu.

   a) cardiologue, futurologue, météorologue, psychologue, ▣

   b) astronaute, cosmonaute, aéronaute, ▣

   c) anonyme, antonyme, synonyme, pseudonyme, ▣

   d) carnivore, granivore, herbivore, insectivore, ▣

   e) autographe, biographe, orthographe, ▣

COMPOSITION SAVANTE – La composition savante consiste à former un mot en réunissant des éléments provenant du latin ou, plus souvent, du grec.

Suzanne Chartrand et autres, *Grammaire pédagogique du français d'aujourd'hui*, Les publications Graficor, 1999.

Où trouver des mots qui se terminent par *-logue* ou par *-graphe*? Dans un dictionnaire de rimes.

64

VOLUME 3, numéro 7

5. Participe à la mise en commun.

6. Rassemble tes découvertes sur les éléments savants dans un tableau semblable à celui-ci.

   Ex. :

Éléments savants	Sens	Exemples
-vore	*manger*	*herbivore*

7. Amuse-toi à créer cinq nouveaux mots en fusionnant des éléments savants. Compose avec chacun une phrase faisant ressortir le sens de ce mot.

   Ex. : aérovore → L'aérovore absorbe l'air pollué.

8. Crée deux métiers farfelus en combinant des éléments savants et des suffixes de métiers. Définis ensuite ces métiers.

   Ex. : *para-* + *-vore* + *-ien, -ienne*
   paravorien, paravorienne – n. : Personne chargée de protéger les enfants des fringales de crème glacée. Il faut avoir un moral d'acier pour faire ce métier, car les échecs sont nombreux.

9. Comment comptes-tu te servir de ta connaissance des éléments savants ?

LA COMPOSITION SAVANTE

Certains mots sont composés d'éléments dits savants. On dit de ces éléments qu'ils sont savants car ils sont empruntés au latin et au grec.

Ex.: *Le mot* carnivore *est formé des éléments savants* carni-, *qui signifie « chair », et* -vore, *qui veut dire « manger, dévorer ».*

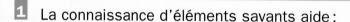

1 La connaissance d'éléments savants aide :

- à dégager le sens d'un mot nouveau ;

  Ex.: *Connaissant le sens de* -vore, *tu peux déduire le sens de* frugivore *dans la phrase « L'ours est frugivore ».*

- à retenir l'orthographe d'un mot ;

  Ex.: *Sachant que l'élément* -chrono, *qui signifie « temps », s'écrit avec un* ch, *tu te rappelleras comment s'écrit* chronique, chronologique *et* chronomètre.

- à créer de nouveaux mots.

  Ex.: *À partir de l'élément* -naute, *qui signifie « naviguer », tu pourrais créer le métier d'*écrinaute *pour désigner une personne qui voyage à travers les mots.*

2 Plusieurs éléments savants peuvent se trouver au début ou à la fin d'un mot.

Ex.: *L'élément* pède, *qui signifie « pied », se trouve au début du mot dans* pédestre *(qui se fait à pied) et à la fin dans* quadrupède *(qui a quatre pieds ou pattes).*

> Distinguer un élément savant
> d'un préfixe ou d'un suffixe est intéressant.
> Reconnaître le sens d'un élément savant,
> d'un préfixe ou d'un suffixe, ça,
> c'est super important !

SECTION GRAMMATICALE

ORTHOGRAPHE GRAMMATICALE

D'accord ou pas d'accord?

L'ACCORD DE L'ADJECTIF AVEC LE NOM

Rappelle-toi que la qualité de tes textes sera toujours rehaussée par des adjectifs bien accordés.

1. Comment procèdes-tu pour accorder correctement l'adjectif avec le nom?

2. Recopie les phrases suivantes.

> Des statistiques récentes révèlent qu'environ 4000 jeunes Québécois font l'école à la maison.
>
> Juliette est la mère de Marie-Soleil et de Marc-Antoine. Elle est aussi leur enseignante particulière.
>
> Même si des spécialistes renommés doutent des véritables bienfaits de l'école à la maison, la maman de Marie-Soleil et de Marc-Antoine considère qu'elle a fait un choix sensé.

a) Relie par une flèche chaque adjectif au nom qu'il complète.

b) Écris au-dessus de chaque nom son genre et son nombre.

c) Vérifie si les adjectifs ont les mêmes marques de genre et de nombre.

3. Toi, que penses-tu de l'école à la maison?

a) Présente ton point de vue en quelques lignes.

b) Relève les adjectifs compléments du nom et, pour en vérifier l'accord, suis la même consigne qu'au n° 2.

c) Si tu ne trouves pas d'adjectifs, que dirais-tu d'en ajouter? Ils te permettraient de préciser ton point de vue.

Mémorise la forme féminine des noms et des adjectifs de ta liste orthographique. C'est plus efficace que de mémoriser les règles de formation du féminin.

EN PRIME

• L'accord de l'adjectif avec le nom est directement relié aux règles de formation du pluriel des noms et des adjectifs. Revois ces règles à l'aide de la fiche **27**.

L'ACCORD DE L'ADJECTIF

L'adjectif complément du nom prend le genre et le nombre du nom qu'il accompagne.

1 Pour accorder correctement l'adjectif, tu dois :

- repérer l'adjectif ;

- repérer le nom qu'il complète ;

- déterminer le genre (féminin ou masculin) et le nombre (singulier ou pluriel) de ce nom ;

- attribuer à l'adjectif les marques de genre et de nombre de ce nom.

Ex. : *Certains parents rejettent l'école traditionnelle.*
f. s.   f. s.

2 Pour confirmer qu'un mot est un adjectif, tu peux faire deux tests.

Ex. : *Tu te demandes si* domicile *et* meilleure *sont des adjectifs dans la phrase* «Pour certains parents, l'école à domicile constitue la meilleure solution. »

Premier test : vérifier si ce mot se dit bien après *c'est* ou *on est* ;

Vérifier si ces mots se disent bien après *c'est*	Vérifier si ces mots se disent bien après *on est*	Conclusion
C'est ~~domicile~~	~~On est domicile~~	*Cela ne se dit pas bien, donc* domicile *n'est pas un adjectif.*
C'est *meilleure*	*On est* meilleure	*Cela se dit bien, donc* meilleure *est un adjectif.*

Deuxième test : remplacer ce mot par un autre adjectif que tu connais bien, par exemple *bon* ou *bonne*.

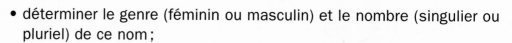

~~bon~~   bonne
Pour certains parents, l'école à domicile constitue la meilleure solution.

Récapitulons !

LA CONJUGAISON

Occasion à saisir : solide révision des savoirs en conjugaison. Bonnes places encore disponibles.

1. Rappelle-toi avec quelques camarades ce que tu sais du verbe.

   a) Note ce que tu sais du verbe dans un coin de la feuille.

   b) Au signal, fais pivoter la feuille d'un quart de tour (tes notes se retrouveront devant l'élève qui est à ta gauche).

   c) Lis ce que ton coéquipier ou ta coéquipière a noté.

   - Appose tes initiales à côté des mêmes points que tu as notés.

   - Place un **?** à côté des points avec lesquels tu n'es pas d'accord.

   - S'il te vient d'autres idées, ajoute-les sur sa partie.

   d) Au signal suivant, procédez de la même façon jusqu'à ce que vous ayez pris connaissance des notes de tous les membres de l'équipe.

   e) Relisez ensuite tout ce qui est écrit sur la feuille.

   - Relevez les éléments communs.

   - Réglez le cas des éléments suivis d'un **?** en consultant des ouvrages de référence.

   f) Comment la lecture des notes de tes camarades t'a-t-elle permis de confirmer tes propres connaissances ?

2. Pour garder une trace de tes connaissances sur le verbe, remplis la fiche **28**.

3. Du temps de tes grands-parents, on organisait des combats de conjugaison en classe. Revis cette époque en participant à un combat. Tes armes, ce sont tes connaissances en conjugaison. Écoute les consignes et... en garde !

Matériel

- Une grande feuille divisée en quatre avec le mot *verbe* écrit au centre
- Quatre crayons de couleurs différentes
- Quatre têtes pleines d'idées

Verbe

SECTION GRAMMATICALE

Qui commande ici ?

L'ACCORD DU VERBE AVEC LE SUJET

Le sujet aime commander. Ça tombe bien, le verbe aime obéir !

1. Comment procèdes-tu pour accorder le verbe avec son sujet ?

2. Compose une phrase avec chacun des verbes suivants.

accepter	accomplir	admirer	brûler
corespondre	déclarer	étendre	organiser
profiter	réfléchir	réunir	vendre

a) Varie le temps et la personne d'une phrase à l'autre.

b) Remets ta copie à un ou une autre élève. Demande-lui de vérifier l'accord des verbes ainsi que l'orthographe de tous les mots.

c) Reprends ta copie et examine les corrections apportées.

À l'unisson

LA DICTÉE EN COOPÉRATION

Si tu as déjà fait ce genre de dictée, tu l'attendais. Sinon, c'est le temps de t'initier à la fameuse dictée en coopération.

1. Pour te rappeler comment faire une dictée en coopération ou pour l'apprendre, demande la fiche **29**.

2. Pour connaître le sujet de la dictée, demande la fiche **30**.

3. Comment s'est déroulée la dictée en coopération ? Quelles attitudes ont contribué à créer un climat d'entraide ?

Matériel

- La liste orthographique (fiche 17)
- Les tableaux de conjugaison des verbes *aimer*, *avoir*, *être*, *finir* et *rendre*
- Un dictionnaire

L'ACCORD DU VERBE AVEC LE SUJET

Lorsqu'il est conjugué, le verbe reçoit la personne et le nombre de son sujet et s'accorde avec lui.

Ex : Les enseignantes gagn**aient** 100 $ par année en 1900.

1 Le sujet peut être :

- un pronom ;

  Ex. : À cette époque, **on** group**ait** tous les élèves dans une même classe.

- un groupe du nom (GN) de la 3ᵉ personne dont le noyau est un nom au singulier ou au pluriel.

  Ex : La **maîtresse** fourniss**ait** le bois de chauffage.

  Pour nourrir les enfants pauvres, certaines **institutrices** de l'époque prépar**aient** de la soupe.

2 Pour accorder correctement le verbe, tu dois :

- repérer le verbe conjugué ;

- repérer le sujet ;

- trouver la bonne terminaison du verbe.

3 Pour repérer un verbe conjugué, tu cherches un mot qui peut à la fois :

- être encadré par *ne... pas* ;

- et être conjugué à un autre temps ou à une autre personne.

Ne... pas	Autre temps	Autre personne	Conclusion
La maîtresse **ne** fournissait **pas** le bois de chauffage.	La maîtresse **fournit** le bois de chauffage.	Nous **fournissions** le bois de chauffage.	*fournissait* est un verbe conjugué qu'il faut accorder avec son sujet

Plus ça change, plus c'est pareil !

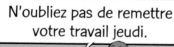

SUPPLÉMENT

TEXTES ADDITIONNELS ET ACTIVITÉS DE LECTURE AU CHOIX

Marion et le Nouveau Monde

Marion déménage à Montréal et pour elle, c'est la fin du monde. Elle doit quitter tout ce qu'elle aime: son village de la Gaspésie, son école et sa meilleure amie Léa. Pour Marion, cette entrée dans un nouveau monde s'annonce mal. Accompagne-la à son arrivée à Montréal.

Le déménagement a lieu le premier samedi de mai, par un temps gris et pluvieux. Marion a l'impression que toute la journée se déroule dans la brume. Seules quelques scènes émergent de la grisaille.

Les adieux à Léa, juste avant de monter dans la voiture qui l'emmène à Montréal.

Le va-et-vient des essuie-glaces, tout au long du trajet interminable.

Du haut du pont Jacques-Cartier, les lumières du centre-ville de Montréal, embrouillées par la pluie.

Le dédale des rues de la ville, dans lequel Marion est certaine de ne jamais pouvoir se retrouver.

L'arrêt final, devant un immeuble faiblement éclairé par un lampadaire. L'immeuble a l'air négligé, et Marion le trouve aussitôt sinistre.

Son opinion ne fait qu'empirer lorsqu'elle met les pieds dans l'entrée, imprégnée d'une odeur de pipi de chat et de fond de poubelle.

— Ce n'est vraiment pas le grand luxe, murmure sa mère d'une voix découragée en jetant un coup d'œil autour d'elle.

Des circulaires s'entassent dans un coin. Les cases postales sont à moitié arrachées, des graffitis couvrent les murs, une poussette déglinguée traîne dans un coin.

— Vous allez voir, l'appartement est en meilleur état, répond Julien, qui vient de descendre les rejoindre et qui semble déçu de leur réaction. J'ai donné une couche de peinture partout, j'ai lavé les fenêtres et les planchers…

Effectivement, le logement sent la peinture fraîche et les produits de nettoyage, mais c'est la seule qualité que Marion arrive à trouver aux lieux.

L'appartement lui-même se révèle petit et laid dans l'éclairage impitoyable des ampoules nues.

« C'est un cauchemar, se dit Marion. Ce n'est pas vrai. Je ne peux pas vivre ici. »

*

« Cinquante jours », se répète Marion ce soir-là, allongée sur le matelas posé à même le plancher de sa chambre. Dans cinquante jours, elle retournera dans son village pour les vacances. C'est une idée de Léa, qui a suggéré à ses parents d'inviter Marion à passer l'été chez eux.

Cinquante jours de noirceur avant le retour du soleil.

Cinquante jours avant de se remettre à vivre.

*

À peine Marion a-t-elle mis un pied dans la classe qu'elle voudrait se sauver à toutes jambes. Il doit y avoir une erreur, ça ne peut pas être sa classe. Elle a plutôt l'impression d'être dans un pays très, très lointain.

L'enseignante lui parle, mais Marion ne comprend rien. Pas un mot. Elle est trop occupée à essayer de calmer les battements de son cœur.

Avec un sourire, l'enseignante pose une main sur l'épaule de Marion et la conduit à sa place, près de la fenêtre, derrière un pupitre vide. […] Si elle fermait les yeux, elle pourrait croire que c'est Annie qui la guide ainsi jusqu'à son pupitre.

Une fois assise, Marion respire mieux. Les mots de l'enseignante se fraient un chemin jusqu'à son cerveau affolé.

— À présent, nous allons dire nos prénoms, pour que Marion apprenne à nous connaître. Allons-y rangée par rangée, en commençant par Vinh…

Vinh, Paola, Nejma, Danaé, Alex, Siham, Rachad…

Les prénoms se succèdent, mais Marion n'en retient aucun. Ce sont des prénoms étranges, que Marion n'a jamais entendus et qu'elle serait incapable d'écrire même si on les lui répétait très lentement. Et les enfants qui portent ces prénoms ne ressemblent en rien à ceux que Marion a côtoyés toute sa vie. Quelques-uns ont la peau très pâle, d'autres sont d'un noir presque bleu… Entre ces extrêmes, toutes les nuances sont représentées. Les cheveux sont lisses, bouclés ou crépus. Les yeux sont ronds ou en amande. Les voix sont rudes ou chantantes…

Mais tous ces garçons et ces filles sourient à Marion. Un petit brun nerveux aux cheveux raides et noirs (Rakesh ?) lui souffle un baiser du bout des doigts. Derrière lui, une fille très blonde pouffe de rire en se tournant vers Marion :

— Tu occupes pas toi de Rrakesh. Il pense lui êtrre grrand amourreux séducteurr. Je êtrre Agnieszka.

Marion est pétrifiée. Cette fille blanche et blonde – qu'elle avait remarquée en se disant qu'elle, au moins, n'était pas trop dépaysante – a aussi un prénom impossible à retenir et un accent très marqué, qui roule joyeusement les *r*.

Quand tous les élèves se sont nommés, l'enseignante se tourne vers la nouvelle :

— Il ne manque que Shamilla, qui a la rougeole. Son pupitre est devant le tien. Et maintenant, Marion, si tu nous parlais un peu de toi…

— Eh bien, je… je…

Marion ne sait pas trop quoi dire. Elle arrive pourtant à prononcer quelques phrases. Elle raconte qu'elle vient d'arriver à Montréal avec son père et sa mère, qu'elle habite à quelques rues de l'école, qu'elle aime lire et regarder des films à la télévision…

EN PRIME

- Pour mieux comprendre ce que ressent Marion dans son nouveau monde, fais les activités de la fiche **31**.

Le garçon qui lui a envoyé un baiser l'interrompt soudain :

— De quel pays tu viens ? Tu as un drôle d'accent…

Marion se tait d'un coup sec, les yeux écarquillés. Un accent, elle ? Mais non, voyons, ce sont eux qui…

— Tu viens d'où ? insiste le garçon.

Marion, muette, se tourne vers l'enseignante, qui vient aussitôt à sa rescousse.

— Tu arrives de Gaspésie, c'est bien ça ? demande-t-elle à Marion.

La fillette hoche la tête sans rien dire.

— La Gaspésie, reprend l'enseignante, est une magnifique région de l'est du Québec. Une péninsule qui s'avance dans le golfe du Saint-Laurent. Est-ce que quelqu'un sait ce qu'est une péninsule ? Paola ? Vinh ? Attendez, on va regarder sur une carte…

Michèle Marineau, *Marion et le Nouveau Monde*, Dominique et compagnie, 2002. Illustrations de Christine Delezenne.

D'OÙ VIENT TON NOM ?

Tu en sais déjà pas mal sur l'origine des noms. Mais tu ne sais pas tout. Voici l'occasion d'en apprendre davantage sur l'emploi des noms à travers le monde.

POURQUOI PORTE-T-ON UN NOM ?

L'homme préhistorique chassait, pêchait et cultivait la terre. Il lui a très vite fallu donner des noms à la fois aux animaux et aux choses qui l'entouraient : les rivières, les montagnes, les prairies, et plus tard les villages.

De la même façon, il lui a fallu nommer chaque membre de son groupe, afin de pouvoir les désigner et les appeler.

Très vite donc, et partout, au Groenland comme en Afrique, chez les Chinois comme chez les Indiens d'Amérique, les humains se sont donné des noms individuels. Les tout premiers noms ont été le plus souvent choisis en fonction d'une particularité de l'enfant ou selon les souhaits de ses parents. On espérait souvent qu'il attirerait par son nom les bonnes grâces du ciel : le nom grec Théophile signifiait ainsi « Qui aime Dieu », le nom arabe Abd al-Adl désignait un « Serviteur de la justice », le nom saxon Siegfried souhaitait « Paix et victoire », et l'on trouvait, en Chine, des noms signifiant « Bravoure du Tigre » ou, chez les Indiens d'Amérique, le fameux « Œil-de-lynx ».

LE NOM DE FAMILLE EXISTE-T-IL PARTOUT ?

Dans tous les pays, on trouve des noms de famille. Beaucoup, pourtant, sont différents des nôtres parce que leur histoire n'a pas été la même.

En Chine, pour plus d'un milliard d'habitants, il n'existe que six à sept cents noms de famille qui sont le plus souvent composés d'une seule syllabe, comme Chang, Li ou Wang. Pourtant, même s'ils sont des centaines de milliers, les porteurs d'un de ces noms se sentent en général très proches et sont volontiers prêts à s'entraider. Il en va de même au Vietnam, avec les Phan, Tran ou N'Guyen.

RESTER DE PIERRE

Un peu partout, beaucoup de noms ont été formés à partir du nom du père. Le « fils de Pierre » était ainsi nommé Peters en Belgique, Peterson en Angleterre, Petersen au Danemark, Petrovich en Russie, Petrovic en Serbie et Croatie, Piotrowski en Pologne, Peres en Espagne, Pires au Portugal, Pretrossian en Arménie, etc.

LE NOM DE FAMILLE DISPARAÎTRA-T-IL?

Le nom de famille est aussi important que nécessaire.

Nous sommes tous attachés au nôtre. Nous n'aimons pas qu'on l'oublie ou qu'on l'écorche, par exemple en oubliant une de ses lettres… Nous en avons besoin pour savoir qui nous sommes et d'où nous venons. Et il est également nécessaire aux administrations.

Dans un pays comme la France, on compte beaucoup de Thomas Durand, d'Alice Fournier ou de Michel Legrand… Et même si les gens ont parfois plusieurs prénoms, on trouvera plusieurs Thomas François Durand… Pourtant, il peut être très grave de confondre deux homonymes. Imagine qu'un Thomas Durand soit condamné à faire de la prison et que ce soit un autre que l'on y envoie à sa place!

Pour éviter ces confusions, on utilise de plus en plus de numéros, souvent compliqués, mais qui n'appartiennent qu'à une seule personne. Un jour, peut-être, un de ces numéros prendra de plus en plus de place dans notre vie, au risque de l'emporter sur notre nom de famille…

Jean-Louis Beaucarnot, *D'où vient ton nom ?*, Albin Michel Jeunesse, 2002. Illustrations de Diego Aranega.

EN PRIME

• Dans la fiche **32**, fais l'inventaire de tes connaissances sur l'origine des noms.

L'ancêtre disparue

*Arthur, sa sœur Marinette et sa cousine Corinne viennent chaque été
passer un mois de vacances dans la vieille maison de leurs ancêtres.
Un après-midi, ils jouent au jeu des sept familles.
Durant le jeu, une idée germe dans la tête d'Arthur.*

L'ARBRE GÉNÉALOGIQUE

Un sourire cruel naquit sur les lèvres de Corinne. Elle serra ses cartes contre sa poitrine et regarda Marinette droit dans les yeux.

— Grand-père Jambon ! demanda-t-elle d'une voix triomphante.

— Non, non ! hurla Marinette. T'as pas le droit. C'est de la triche. Tu ne peux pas me le reprendre. J'ai la famille presque complète. Je le garde ! Je le garde !

— Évidemment, que j'ai le droit. Et pendant que tu y es, tu vas me donner aussi la tante Purporc, le cousin Purporc, le fils Rillette et l'oncle Boudin.

— Ça, ça m'étonnerait. L'oncle Boudin, c'est moi qui l'ai, intervint Arthur.

— Ha ! ha ! là, je t'ai eu ! ricana Corinne. Parce que, maintenant, je te le demande à toi.

— Elle a raison, Marinette, dit Arthur. C'est vrai que tu es une tricheuse.

— Tricheuse ! Tricheuse ! cria Marinette. D'abord, il est à moi, ce jeu. Le charcutier me l'a donné ce matin.

Corinne lui lança ses cartes à la figure d'un geste dédaigneux.

— Tiens, reprends-les. Ça ne m'amuse pas, de toute façon. Les noms sont complètement débiles. Jambon, Rillette, Saucisse… J'en ai une indigestion.

— Ce n'est vraiment pas marrant de jouer avec vous, les filles, dit Arthur. Ça se termine toujours de la même façon. Et voilà, maintenant, elle pleure.

Il donna une petite tape sur la tête de sa sœur.

— Bon, ça va, Marinette. Tu ne vas pas en faire toute une histoire. On dit que tu as gagné, d'accord ?

LE JEU DES SEPT FAMILLES

Le jeu des sept familles est un jeu de cartes bien connu en France. Le jeu se joue avec 49 cartes qui représentent les sept membres de sept familles.

Le but du jeu est de reconstituer une famille et tous ses membres.

À tour de rôle, les joueurs demandent à un autre joueur ou à une autre joueuse la carte d'un membre de la famille qui leur manque. Ex. : «Dans la famille du Charcutier, aurais-tu le grand-père Jambon?»

Si la personne interrogée a cette carte, elle doit la donner au joueur ou à la joueuse, qui continue à jouer. Dans le cas contraire, c'est au joueur ou à la joueuse interrogée de poursuivre le jeu. Le joueur ou la joueuse qui réunit les sept membres d'une même famille abat ses cartes et gagne la partie.

La petite haussa les épaules.

— Je m'en fiche de gagner. Ce n'est pas pour ça que je pleure.

— Ah bon? demanda Corinne, moqueuse. Et peut-on savoir pour quelle raison?

— Ça me rend triste, les sept familles. Parce que moi, je n'en ai pas, de famille. Enfin, presque pas.

Corinne en resta bouche bée pendant un instant.

— Tu exagères un peu, non? Tu as un frère, Arthur ici présent, un père, une mère. Tu as une cousine, moi. Un oncle et une tante : mes parents. Ça ne te suffit pas?

— Non, ça ne me suffit pas. Je n'ai pas de grand-père, pas de grand-mère. Et quand j'y pense, ça me donne envie de pleurer. Je ne connais même pas leurs noms.

— Jambon, dit Corinne. Grand-père Jambon. Et ta grand-mère, elle s'appelait Saucisse.

— Idiote!

— Tu sais, dit Arthur à sa cousine, on a les mêmes grands-parents. Enfin, en tout cas, les parents de notre père, ce sont ceux de ta mère.

— Je m'en doute, puisque ton père est le frère de ma mère!

— On ne sait rien d'eux, reprit Arthur, songeur. On ne nous en parle jamais. Et il y en a des tas d'autres. Des arrière-grands-parents, des oncles, des tantes, des arrière… des arrière-arrière…

— Si tu veux, comme ça, on peut remonter jusqu'à Napoléon.

Arthur se leva et fit deux ou trois pas sur la pelouse en direction de la grande maison où sa sœur et lui retrouvaient chaque année leur cousine.

— Oui, dit-il, jusqu'à Napoléon. Géniale, ton idée, Corinne.

— Quelle idée?

— Écoute, j'ai appris ça en histoire à l'école. Le prof a écrit au tableau le nom de Louis XIII, celui de sa femme, celui de son père… euh, je crois que c'est Henri IV. À la fin, il y en avait partout,

tout le tableau était rempli. C'était pour nous faire comprendre comment un roi succède à un autre, les alliances entre les familles et ainsi de suite. Il a dit que ça s'appelait un arbre généalogique.

— Fascinant, commenta Corinne.

— Et après, il nous a expliqué que nous pouvions tous faire la même chose pour notre propre famille. Écrire notre nom et, au-dessus, celui de nos parents, de nos grands-parents. Tiens, regarde.

Arthur ramassa les cartes éparpillées sur l'herbe et en posa deux l'une à côté de l'autre.

— Là, c'est moi et là, c'est Marinette. Le frère et la sœur.

— La sœur Boudin, merci bien! protesta Marinette.

— Non. Arthur Ferrand et Marinette Ferrand. Au-dessus, je mets papa et maman. Jacques Ferrand et Catherine Castelli. Maman s'appelait Castelli avant de se marier. Il faut toujours indiquer le nom de jeune fille. À droite, je mets Corinne, notre cousine.

Il posa la carte.

— Ah non! pas Gras-Double!

— Corinne Bouchard, poursuivit Arthur sans se laisser troubler. Au-dessus, il y a ton père, François Bouchard et ta mère, Sylvie Ferrand. Ta mère est à côté de papa parce qu'ils sont frère et sœur. Compris?

— Je ne suis pas complètement stupide, répondit Corinne. Figure-toi que je sais déjà tout ça. Et maintenant, on est bien avancés!

Marinette plaça une carte au-dessus de celles que son frère venait de disposer.

— Et lui, dit-elle, c'est Napoléon. Napoléon Jambon, grand-père.

— On n'est pas au bout de nos peines, reconnut Arthur, si on veut remonter jusqu'à lui.

Corinne fit une grimace de dégoût.

— Tu veux que je te dise, Marinette? J'ai l'impression que ton frère a décidé de nous gâcher nos vacances. Moi, je suis là pour bronzer, faire du vélo, m'amuser et monsieur a l'intention de jouer au maître d'école. Attends la rentrée, mon vieux. Tu auras toute l'année pour faire des arbres généalogiques. Moi, je préfère les arbres avec des prunes. Ou avec une balançoire.

Mais rien ne pouvait plus détourner Arthur de son idée.

— C'est ici que nous aurons une chance d'en apprendre davantage sur nos ancêtres, affirma-t-il. Ici, au Moulin. Parce que c'est ici qu'ils vivaient.

Il se mit à contempler la vieille maison des Ferrand, se demandant à quoi ressemblaient ceux qui avaient vécu autrefois derrière ces murs de pierre grise rongée par le lierre, sous ce toit de tuiles ocre. À gauche, il y avait les dépendances aux énormes charpentes, celle où tel lointain aïeul conservait son grain, celle où tel autre avait fait une écurie pour ses chevaux. Et, à gauche, se dressait la mystérieuse tour ronde, ce moulin qui avait perdu ses ailes et où l'on avait broyé le blé pour faire de la farine. La tour interdite aux enfants à cause de ses ouvertures sans fenêtres et de son plancher fragile.

— C'est la maison des Ferrand, bougonna Corinne derrière lui. Moi, je suis une Bouchard.

— Tu exagères! Elle est à vous, justement, la maison!

Cela faisait cinq ans que le vieux moulin était revenu dans le patrimoine familial. Quand les parents de Corinne l'avaient racheté, il était presque à l'abandon. Et depuis qu'il était de nouveau habitable, Arthur et Marinette y venaient chaque été passer un mois de vacances en compagnie de leur cousine.

— Ta mère est une Ferrand, ça suffit bien. Écoute! Je crois qu'elle nous appelle.

— C'est l'heure du goûter! s'écria Marinette en filant à toutes jambes vers la maison.

*

Sylvie Bouchard avait préparé une assiette de biscuits et un pot de chocolat au lait sur la petite table en marbre de la cuisine.

— Maman, se plaignit Corinne, Arthur veut absolument faire un arbre généalogique et moi, ça m'embête.

— Ah bon? Quelle drôle d'idée, répondit Sylvie d'un air distrait.

— Je veux que tu nous dises tout ce que tu sais sur la famille, intervint Arthur.

— Jusqu'à Napoléon, précisa Marinette.

— Mes pauvres enfants, j'ai bien peur de vous décevoir. Tu vois, Arthur, nous n'avons pas eu beaucoup de chance, ton père et moi. Nos parents sont morts alors que nous étions encore jeunes. Quant au reste de la famille… J'avoue ne pas être très savante à ce sujet.

Elle se tourna vers le plan de travail, près de la cuisinière, et entreprit de couper des carottes en rondelles.

— Je te l'avais bien dit que tout le monde s'en moquait de ton arbre généalogique, constata Corinne avec un sourire satisfait.

— Mon père s'appelait René et ma mère Émilienne, dit Mme Bouchard. Tu peux déjà noter ça.

— Ah oui, c'est vrai! s'exclama Arthur. Je le savais.

— Et, bien sûr, il y a Eulalie.

— C'est celle que tu m'as montrée au village? demanda Marinette. Elle est affreuse.

— La sœur de mon père, ma tante. Et, pour vous, c'est une grand-tante. Mais elle est fâchée avec le reste de la famille depuis toujours. Ça doit faire vingt ans qu'elle ne m'a pas adressé la parole. Pourtant, je la croise tous les étés en faisant les courses.

Le goûter avalé, Arthur s'empressa de monter dans sa chambre, tandis que Corinne et Marinette allaient profiter du soleil de cette fin d'après-midi. Il ne voulait pas risquer d'oublier les quelques informations glanées auprès de Sylvie: le nom de ses grands-parents, de sa grand-tante Eulalie et aussi celui de la seconde sœur de René, une autre grand-tante baptisée Madeleine, dont Mme Bouchard avait fini par mentionner l'existence. Il ouvrit un cahier neuf et y consigna le peu qu'il savait de son arbre généalogique, bien décidé à lui ajouter très bientôt de nombreuses autres branches.

Lorris Murail, *L'ancêtre disparue*, © Flammarion, 1994.

EN PRIME

• Dans la fiche **33**, reconstitue l'arbre généalogique d'Arthur.

DÉCOUVRIR LA GÉNÉALOGIE

Sais-tu d'où viennent ton nom, tes ancêtres ?
La généalogie peut t'aider à répondre à ces questions.
Voici plein de conseils utiles pour les généalogistes en herbe.

La généalogie, c'est une façon de considérer l'individu non de façon isolée, mais comme un maillon dans une chaîne…

RECUEILLIR DES DOCUMENTS ET DES TÉMOIGNAGES

Léopold – Regarde, je m'appelle Léopold, comme mon arrière-grand-père…

Marine – Qu'est-ce qu'il avait de spécial, ton arrière-grand-père ?

Léopold – Je sais pas trop, je l'ai jamais connu ! Et mon père non plus, je crois ! On m'a dit qu'il était mort très jeune…

Marine – Mais ton grand-père peut sûrement nous renseigner ?

Léopold – Oh oui, je suis sûr qu'il se fera un plaisir de nous raconter tout cela.

Marine – Demande-lui aussi s'il n'a pas des lettres et des photos à nous montrer.

Léopold – Bonne idée !

Pour commencer une recherche généalogique, il vaut mieux rassembler tous les documents et tous les témoignages possibles.

COMMENT PROCÉDER ?

Si le projet te tente, voici quelques indications qui te permettront de mener ta petite enquête. Cette démarche te donnera peut-être l'occasion de découvrir des choses que tu ne savais pas sur ta famille. Mais attention ! Dans une telle approche, quelques conditions doivent être impérativement réunies.

• Il faut de la délicatesse et beaucoup de tact. Si beaucoup de personnes âgées parlent volontiers de leur jeunesse, il arrive parfois que certains souvenirs soient douloureux et difficiles à évoquer. Ne force pas ton interlocuteur s'il n'en a pas envie. Tes questions feront peut-être leur chemin et la discussion sera possible un peu plus tard…

• Ne prends pas toutes les informations pour argent comptant : la mémoire est subjective et souvent sélective. Deux témoignages valent mieux qu'un sur les événements importants : n'hésite pas à interroger plusieurs personnes en recoupant les informations.

• Si tu butes sur un « trou de mémoire », prends le problème sous un autre angle en formulant ta question différemment : si l'année exacte d'un événement est difficile à retrouver par exemple, évoquez ensemble les circonstances, les personnes présentes, les lieux, d'autres événements survenus à la même époque (voyages, vie politique nationale et régionale…), cela te mettra certainement sur la voie ou mieux encore, cela permettra peut-être à ton interlocuteur de retrouver l'information recherchée.

QUI INTERROGER ?

Toutes les personnes de ta famille, mais aussi d'autres personnes de la même génération (voisines, amis survivants) qui pourront certainement te donner des renseignements utiles.

QUELLES QUESTIONS POSER ?

Ces entretiens doivent te permettre de commencer ton arbre généalogique : tu dois pour cela essayer d'obtenir le

nom des personnes de ta famille, leurs liens de parenté, les dates et lieux de naissance, décès, mariage... Ils peuvent également t'apporter des informations sur la façon dont on vivait au début du siècle ou à la fin du siècle dernier en abordant, par exemple, les domaines suivants :

- **les conditions de vie** (eau, électricité, sanitaires, chauffage, modes de transport...) ;

- **les inventions technologiques** qui ont changé leur vie (téléphone, voiture, avion, télévision, eau courante...) ;

- **les métiers** pratiqués par tes ancêtres ;

- **leur niveau de qualification** (leurs diplômes), le contenu de leur formation (qu'apprenait-on à l'école primaire par exemple ?) ;

- **le type d'éducation** (autoritaire ou libéral, en matière de religion, rapports fille/garçon, sexualité...) ;

- **les relations familiales** (brouilles, réconciliations, «alliances»...) ;

- **les pratiques linguistiques** (dialectes locaux, ligne de partage entre l'usage du français et le dialecte, expressions locales ou familiales) ;

- **les pratiques religieuses** (tous les membres n'avaient peut-être pas les mêmes opinions, certains ont-ils changé de religion au cours de leur vie, et pourquoi ?). La liste n'est naturellement pas exhaustive.

COMMENT EN GARDER UNE TRACE ?

En enregistrant les personnes que tu interroges (avec leur accord naturellement), ou en prenant consciencieusement des notes pour ne rien oublier.

Tu peux ensuite les mettre en forme dans un journal de famille, ou bien sur un tableau synoptique sur lequel tu feras figurer : les mariages, les naissances, les décès, les déménagements, les voyages, les changements d'emploi, les ventes ou les achats immobiliers, les événements historiques importants...

QUELS DOCUMENTS RECUEILLIR ?

Toutes sortes de documents privés : les lettres, les cartes postales, les faire-part, les journaux intimes, les bulletins scolaires, les coupures de presse, les albums photos, qui peuvent constituer un bon point de départ (n'oublie pas de te faire préciser les noms des personnes que tu ne connais pas, les liens de parenté et les dates auxquelles les photos ont été prises). Tu peux noter ces informations au dos des documents lorsque c'est possible.

Agnès Wittmann, *Je fais mon arbre généalogique et je remonte le temps !*, Vuibert (Coll. Levons l'encre !), 1999.

GÉNÉALOGIE ET INTERNET

Internet a complètement modifié nos habitudes en matière d'information et de recherches. Il n'est donc pas étonnant que la généalogie ait été l'une des premières sciences à s'infiltrer dans le réseau Internet dès 1993. Le phénomène n'a cessé de croître depuis ce temps si bien qu'aujourd'hui la généalogie représente une large part des informations disponibles dans Internet. C'est aujourd'hui le meilleur moyen de communication et d'échange entre les généalogistes d'ici et d'ailleurs dans le monde.

Internet permet un accès à des pages webs, à des listes et à des forums de discussion, constituant ainsi une généalogie planétaire où les frontières et la censure sont inexistantes. [...] Pour s'en convaincre, on a seulement à taper son nom ou celui de ses ancêtres dans un moteur de recherche pour découvrir avec fascination toute l'ampleur du phénomène. À partir d'un seul patronyme, l'internaute pourra voir affichées des centaines de pages et naviguer pendant des heures à travers une multitude d'informations dont l'exactitude est malheureusement souvent discutable.

Les nombreuses sources généalogiques comme les sites personnels, les bases de données et les forums de discussion constituent une formidable bibliothèque généalogique à la portée du clavier. Toutefois, il n'en demeure pas moins que les généalogistes internautes doivent inévitablement consulter les sources archivistiques pour s'assurer de l'exactitude des données diffusées dans Internet.

Marcel Fournier, Mémoire de la Société généalogique canadienne-française, vol. 53, n° 4, hiver 2002, p. 257-258.

EN PRIME

• Faire l'arbre généalogique de ta famille, ça te dirait ? Pour mener ce travail de main de maître, indique les étapes à suivre dans la fiche **34**.

$\mathcal{M}$onsieur Tougris, le ramasseur de pensées

*Le métier de M. Tougris sort vraiment de l'ordinaire.
Chaque jour, il ramasse les pensées des gens dans les rues de sa ville.
Puis, il les classe, les fait fleurir et à l'aube, elles se transforment en nuages
de confettis colorés qui vont se déposer sur le front des habitants encore endormis.
Voici l'occasion de découvrir un métier des plus farfelus.*

Monsieur Tougris exerce depuis si longtemps son métier de ramasseur de pensées qu'on pourrait croire qu'il a déjà tout vu, qu'il connaît les pensées sur le bout des doigts. Pourtant, elles arrivent toujours à le surprendre, à lui jouer des tours. Il hoche plusieurs fois la tête d'un air ébahi: décidément, les pensées sont des êtres bien déconcertants!

Vers quatre heures, quand il a fini de ramasser toutes les pensées de la ville, monsieur Tougris boucle soigneusement sa musette et rentre chez lui d'un pas encore plus lent et plus traînant, plus courbé que jamais sous le poids de sa musette alourdie par toutes les pensées amassées. Car il est stupide de croire que les pensées sont légères comme une plume ou un flocon de neige. En réalité, il y en a qui pèsent plus d'un kilo!

En passant devant ma fenêtre, monsieur Tougris me fait un clin d'œil. Je lui réponds d'un signe de la main: c'est ma façon de lui dire «à demain!», avant de me remettre bien vite à travailler.

*

Monsieur Tougris habite une petite maison en dehors de la ville, derrière l'usine et les jardins potagers des ouvriers. Elle comprend deux petites pièces et un minuscule appentis où sont installées les toilettes et la salle de bains; la première pièce lui sert à la fois de salon, de chambre et de cuisine; la deuxième est son bureau. Monsieur Tougris s'en accommode fort bien, il n'a pas besoin de beaucoup de place. Comme il n'a rien mangé depuis le matin, monsieur Tougris a un peu faim, lorsqu'il rentre chez lui. Il commence par grignoter quelque chose, puis il s'allonge sur son lit pour se reposer de sa longue marche. Après sa sieste, il va dans son bureau, ouvre sa musette et déverse les pensées sur un grand drap étalé par terre. Il écarte ensuite la musette vide, s'accroupit et se met à trier l'écheveau de pensées emmêlées les unes aux autres. Puis il les classe par ordre alphabétique et les range sur d'immenses étagères. Sur la première planche, à la lettre A, il met les pensées abracadabrantes, les pensées amusantes, astucieuses, agressives, amicales, amoureuses, aveugles…

Monsieur Tougris les trie et les range avec le plus grand soin car les pensées sont presque transparentes et il est facile de les confondre entre elles. D'autant plus qu'il arrive aussi qu'une pensée se cache, pour jouer un tour à monsieur Tougris. Et il a beau tendre l'oreille et siffler à perdre haleine, il a parfois bien du mal à la rattraper!

À la lettre B, on trouve les pensées bizarres, les pensées biscornues, brillantes, bienveillantes, bouleversantes… À la lettre C, ce sont les pensées coquines, les pensées courageuses, les câlines et les capricieuses… et ainsi de suite jusqu'à la fin de l'alphabet, avec les pensées zozotantes et celles qui zézaient.

Il lui arrive même de se mettre à quatre pattes pour explorer tous les coins et recoins les plus sombres de son bureau. Heureusement, cela n'arrive pas trop souvent, et seulement avec une pensée farceuse, une pensée follette, une pensée fugace ou avec les pensées mal intentionnées. Comme monsieur Tougris est un vieux monsieur extrêmement gentil, il oublie vite ce genre d'incident, surtout quand il a la chance de trouver dans sa récolte de la journée une pensée particulièrement belle. Une fois son rangement terminé, monsieur Tougris laisse les pensées reposer un moment sur leurs étagères. Elles mûrissent comme de beaux fruits gorgés de soleil; sauf que pour les pensées, deux heures suffisent. Ensuite, il les saisit délicatement, une par une, et les empile avec précaution dans un grand panier d'osier qu'il emporte dans son jardin.

Der Gedankensammler © Patmos Verlag, 1993.
Monika Feth, *Monsieur Tougris, le ramasseur de pensées*,
© Actes Sud junior (Coll. Les albums Tendresse), 1996.

EN PRIME

• Ramasseur ou ramasseuse de pensées, est-ce un métier pour toi? Examine-le de plus près dans la fiche **35**.

LES NOUVEAUX MÉTIERS

Quand tu seras grand ou grande, aimerais-tu exercer un métier lié à Internet ? Voici l'occasion d'en apprendre davantage sur les nouveaux métiers engendrés par Internet.

Internet a bouleversé les méthodes de travail dans de nombreux secteurs de l'économie. Mais il a également engendré de nouveaux métiers.

Tous les métiers de l'information sont touchés par l'expansion rapide d'Internet. Pour les journalistes, par exemple, Internet constitue à la fois une source d'information, un moyen de transmission et un moyen de diffusion. La recrudescence des publications en ligne constitue pour eux des débouchés nouveaux. De même, la publicité, le marketing, la banque, évoluent avec Internet.

WEBMESTRE : UN MÉTIER D'AVENIR

Au sein des entreprises, le webmestre est chargé de s'occuper du ou des sites Web, de veiller à la maintenance technique et de s'occuper de la mise à jour. Selon la taille de l'entreprise, il est seul ou à la tête d'une équipe qui peut comprendre des ingénieurs informaticiens, des graphistes, des concepteurs. Son profil est difficile à établir : s'il est à la tête d'un équipe, il n'est pas nécessairement un développeur confirmé, même

s'il doit bien connaître les principales technologies Internet.

DES MÉTIERS OUVERTS À TOUS

Ce secteur est en plein développement et il est parfois difficile d'y pourvoir certains postes. Plusieurs stratégies de formation permettent d'y accéder. La filière informatique en est une, mais ce n'est pas la seule. Allier une bonne culture générale, l'aisance rédactionnelle, la créativité et une formation universitaire, littéraire ou scientifique, le tout pimenté d'une bonne connaissance d'Internet qui peut parfaitement s'acquérir par la pratique personnelle, ouvre des portes dans un secteur où des contenus de qualité sont aussi importants que des compétences informatiques… Enfin, comme tous les secteurs nouveaux, celui-ci accueille encore volontiers les profils dits « atypiques » : autodidactes, reconvertis, passionnés, curieux et inventifs, audacieux ont en commun les heures passées à s'initier aux arcanes d'Internet et, quelquefois, une bonne idée au bon moment…

Le graphiste

Un graphiste Web ne peut se contenter d'avoir du talent et une bonne technique graphique. Il doit intégrer dans son travail toutes les contraintes techniques liées au mode de diffusion et à l'interactivité.

Le rédacteur

Il conçoit, écrit et corrige les textes du site.

Le concepteur

Les concepteurs aident leurs clients à décrire leur site Internet, leur proposent des solutions pertinentes selon le métier de l'entreprise et le budget qu'elle souhaite consacrer au site.

Le webmestre

Une très bonne connaissance du métier de base de l'entreprise qui l'emploie, la capacité de concevoir et de mener à bien des projets sont aussi importants que son savoir technique, qui doit être suffisant pour pouvoir dialoguer avec des spécialistes.

Le directeur artistique

Il propose une ligne graphique en accord avec l'image que l'entreprise souhaite véhiculer.

L'informaticien

Les ingénieurs informaticiens sont au cœur de ces nouveaux métiers. Ils sont confrontés au développement très rapide des technologies et consacrent une part importante de leur temps à se former et s'informer. Pour développer des sites importants, ils maîtrisent généralement non seulement le HTML, Java, JavaScript, mais également le C++ et les bases de données.

Virginie Clayssen, *Les nouveaux métiers*, tiré de *Zoom sur Internet*, © Hachette Livre (Coll. Zoom), 1999.

EN PRIME

• Dans la fiche **36**, explore les nouveaux métiers engendrés par l'expansion d'Internet. Qui sait, tu te découvriras peut-être une nouvelle passion!

$\mathcal{L}$e Collectionneur d'instants

Max est un artiste peintre alors que le jeune garçon chez qui il habite est fils de quincaillier. L'installation de Max au-dessus de la quincaillerie leur permettra de nouer une belle amitié.

Nous habitions un immeuble dans la rue du Port, une large avenue qui traversait la ville et menait au port et à l'embarcadère du ferry-boat.

Le magasin de mon père occupait le rez-de-chaussée. Sur l'enseigne fixée au-dessus de la porte, était écrit en lettres bleu foncé: *Quincaillerie*, et en dessous, dans une écriture plus petite, *Propr. E. Buchholz.* Les habitants de l'île achetaient leurs outils chez mon père, charnières, serrures, vis et clous de toutes les tailles et de toutes les formes.

Notre appartement se trouvait au-dessus du magasin. Je partageais une chambre avec mon frère aîné.

Max avait emménagé au quatrième étage, une chaude journée de mars.

Les premières hirondelles de mer étaient de retour et emplissaient l'air de leurs appels. Le vent chassait devant lui des fragments de nuage dans le bleu du ciel et rabattait sur les terres l'air marin chargé de sel.

Un camion jaune de déménagement s'était garé devant l'immeuble. Des hommes en bleu de travail en sortirent des cartons, des tables, des chaises, des étagères, des pots de fleurs, un vieux globe terrestre, un chevalet et un large fauteuil tendu de velours rouge foncé.

Max s'agitait au milieu des ouvriers, donnait des ordres et se passait sans cesse la main dans les cheveux.

Il resta tout l'été, l'hiver et encore l'été suivant. Et puis, quand arriva l'automne, il repartit.

*

Un escalier étroit, aux marches usées et grinçantes, bordé d'une rampe en fer forgé, menait au quatrième étage. Chaque jour, ou presque, je me plantais devant la porte peinte en gris et baissais lentement la poignée. Quand la porte n'était pas fermée à clef, j'avais le droit de rendre visite à Max. Souvent, je passais l'après-midi entier dans son atelier, tandis qu'il peignait.

Je faisais mes devoirs, couché à plat ventre sur le parquet. Sur de grandes feuilles de papier à esquisse, je dessinais des voiliers dans la tempête, d'intrépides chefs indiens, des chevaliers au combat et des dragons crachant le feu. Ou bien, je bricolais des fusées en carton et papier argent propulsées par des pointes d'allumettes. Pour le premier vol habité qui devait décoller de la pelouse du parc municipal, les cosmonautes seraient des mouches.

Je lisais des livres […] que j'avais trouvés sur les rayons de la bibliothèque de Max. D'épais livres d'images étaient entassés en hautes piles partout sur le sol. Je me plongeais dans les mondes disparus des rois et des reines, marchais sur les traces des grands explorateurs et suivais la piste des bêtes sauvages, découvrais des cités et des pays lointains et admirais les œuvres d'architectes célèbres ou les tableaux des plus grands peintres. Sur l'échiquier, je jouais contre moi-même, avec la certitude rassurante de gagner toutes les parties.

Parfois, j'entreprenais de longs voyages autour du monde sur le vieux globe terrestre, posé sur un tabouret près du poêle à mazout, et mon index traçait la route sur la couche de poussière qui couvrait l'hémisphère Nord.

*

Les bruits de la rue parvenaient assourdis. De temps à autre, retentissait la trompe du ferry. Les jours de canicule, le ventilateur vrombissait au plafond. L'horloge murale égrenait les secondes, et j'entendais le grattement léger et régulier de la plume de Max sur le papier à dessin.

Il restait des heures durant assis, immobile, à la grande table, le buste penché sur le dessin, entouré d'esquisses, de livres, de crayons, et d'innombrables gobelets de peinture. La main qui tenait le porte-plume se déplaçait lentement, avec de courts mouvements tranquilles, sur la surface du papier.

De temps à autre, il essuyait la plume avec un vieux chiffon bariolé, plaçait le dessin sur le chevalet à côté de la table et l'examinait longuement en se passant la main dans les cheveux. Il arrivait qu'un sourire illuminât son visage, mais le plus souvent des plis profonds marquaient son front.

Parfois aussi, il se levait, déambulait d'un air agité dans son atelier, regardait par la fenêtre ou disparaissait pour un moment dans la cuisine.

Il se rasseyait ensuite à la table, reprenait le dessin et se remettait au travail.

*

Blotti dans le fauteuil rouge, j'aimais regarder Max travailler, même si je ne pouvais voir ce qu'il dessinait ou peignait. Il aimait s'entourer de mystère.

Quand, au bout de quelques semaines, un tableau était achevé, il l'encadrait et le posait à côté d'autres, appuyé contre le mur, tourné à l'envers.

« À chaque tableau mène un chemin invisible », m'expliqua un jour Max. « Le peintre doit trouver ce chemin. Et il ne doit pas montrer trop tôt ce qu'il peint, sinon il risque de perdre le chemin. » Max passait beaucoup de temps à l'extérieur. Comme un explorateur, il parcourait les rues de la ville, arpentait, les cheveux au vent, la plage immense ou les dunes.

Il pouvait rester des heures durant assis sur la jetée, sur un banc du parc ou dans un des cafés du bord de mer. Son regard fixait le lointain, comme s'il y cherchait quelque chose.

De temps en temps, je le surprenais qui prenait des notes ou griffonnait de rapides esquisses dans un carnet qu'il emportait toujours avec lui.

*

Parfois aussi, il entreprenait de plus longs voyages, et je l'accompagnais à l'embarcadère, puis courais sur la jetée jusqu'au phare. Quand le ferry passait le phare, Max se tenait sur le pont arrière, sa valise de cuir brun posée à côté de lui, et agitait la main. Je répondais à son salut, et suivais le bateau du regard jusqu'à ce qu'il ne soit plus qu'un point minuscule à l'horizon.

Il ne me disait jamais quand il reviendrait. Peut-être ne le savait-il pas lui-même.

Mais, un beau matin, la porte de son appartement n'était plus fermée à clef. Je pouvais entrer, comme avant son départ. Max était assis à la table ; il me lançait un clin d'œil et se concentrait à nouveau sur le dessin qu'il avait commencé depuis son retour.

Et de nouveau plongé dans le silence magique de la pièce, je me blottissais dans le fauteuil rouge.

Dans l'obscurité, je jouais sur mon violon, comme toujours. Max m'accompagnait de son chant, ou se taisait.

*

Max racontait rarement ses voyages.

Mais quand il le faisait, alors c'étaient des récits étranges d'événements ou de mondes dont je n'avais jusque-là jamais entendu parler.

Un jour d'hiver, Max avait cessé de dessiner plus tôt que de coutume. Nous étions assis tous les deux devant la fenêtre de son atelier et buvions du thé dans des tasses bleu sombre. Dehors, il neigeait à gros flocons, et tout semblait plus silencieux encore que d'habitude.

« Savais-tu qu'il y a des éléphants de neige au Canada ? », demanda Max, tandis que nous regardions tomber les flocons. « Ils sont plus grands que les éléphants d'Afrique et ont une épaisse fourrure blanche, comme les ours blancs. Ils sont très craintifs et ne quittent les forêts que pendant les tempêtes de neige. Malgré leur taille, ils se déplacent sans bruit avec une agilité incroyable. Il est très rare de pouvoir les observer. À peine les a-t-on entrevus qu'ils ont déjà disparu dans les tourbillons de neige. »

Nous étions restés un instant à regarder par la fenêtre. Puis Max me raconta l'histoire de la roulotte de cirque volante qu'il avait un jour aperçue. Un soir, plus tard, dans une petite ville, il était sorti se promener, lorsque la roulotte avait plané sans bruit dans le ciel, fenêtres illuminées. Elle était restée un instant suspendue au-dessus d'un pont, puis avait disparu lentement dans l'obscurité de la nuit.

J'aimais ces histoires. Elles semblaient complètement invraisemblables, mais Max les racontait comme si elles s'étaient réellement passées. Naturellement, je voulais qu'il me dise la vérité.

« Allez, faisons un peu de musique, Professeur », disait-il avec un sourire en rapportant les tasses à la cuisine. Parfois, il refusait d'expliquer les choses les plus importantes.

✳

Cela faisait maintenant plus d'un an que Max habitait notre immeuble. Une longue rangée de tableaux étaient appuyés, retournés, contre les murs de l'atelier.

Un soir, après que nous eûmes joué une fois encore de la musique, Max annonça qu'il allait partir pour assez longtemps. Il me donna un trousseau de clefs et me demanda de m'occuper de son appartement, d'arroser les plantes et de sortir le courrier de sa boîte aux lettres pendant son absence.

Mais ce qui était merveilleux, était qu'il m'autorisait à m'installer aussi souvent que je le voulais dans son atelier.

© 1998, Éditions Milan, Quint Buchholz (texte français de Bernard Friot), *Le Collectionneur d'instants*.

EN PRIME

- Pousse plus loin ta compréhension de l'histoire et des personnages en utilisant la fiche **37**.

APPRENTIS ET COMPAGNONS AU MOYEN ÂGE

*Certains métiers actuels étaient déjà exercés il y a plusieurs siècles.
Que dirais-tu de connaître un peu mieux la manière
dont on les apprenait à l'époque ?*

Le Moyen Âge est une période particulièrement longue de notre histoire. Cette époque passionnante, célèbre par ses cathédrales et ses châteaux forts, commence au Ve pour s'achever au XVe siècle.

À partir du XIe siècle, les artisans et les marchands des villes, c'est-à-dire les personnes qui exercent un métier manuel ou qui possèdent un commerce, décident de se regrouper afin de s'entraider. Ces associations sont connues sous le nom de «corporations». Leurs membres forment une véritable communauté unie autour de la pratique d'un métier.

Les corporations ont besoin de travailleurs et accueillent les jeunes garçons à partir de douze ans pour leur apprendre un métier choisi bien souvent par le père et non par l'enfant lui-même. Les corporations acceptent rarement les filles. Durant toute leur enfance, les jeunes filles restent auprès de leur mère pour apprendre la cuisine et tous les savoirs indispensables à la bonne tenue d'une maison. Elles peuvent parfois, quand elles sont adolescentes, aider de temps en temps dans un commerce : servir dans une boulangerie ou conseiller la clientèle chez un drapier.

En lisant les vieux textes médiévaux, en regardant les miniatures des anciens manuscrits et en étudiant les règlements des corporations médiévales, nous avons pu ainsi faire resurgir du passé la vie de ces enfants apprentis.

UNE COMMUNAUTÉ UNIE AUTOUR D'UN MÉTIER

Dans la cité médiévale, excepté les gens d'Église regroupés autour de leur évêque et de sa cathédrale, la majorité des personnes qui vivent en ville gagnent leur vie en fabriquant un produit (les artisans) ou en le vendant (les marchands).

Très rapidement, ces artisans et ces marchands se regroupent par métier et s'organisent comme de véritables familles : ces associations professionnelles (charcutiers, boulangers, potiers, charpentiers, serruriers…) sont connues sous le nom de corporations. Dans une ville du Moyen Âge, il existe donc autant de corporations qu'il y a de métiers différents.

Toutes les corporations sont organisées selon le même modèle. À la tête de chaque atelier ou boutique, il y a toujours un maître, le propriétaire du local, celui qui maîtrise parfaitement le métier et qui a assez d'argent pour acheter les outils et les matériaux nécessaires à l'exercice de sa profession. Pour l'aider, il peut engager quelques ouvriers, appelés « compagnons » (cinq au maximum), payés en fonction de leur expérience. Enfin, il peut accueillir en formation un ou deux jeunes enfants, à partir de l'âge de douze ans, que l'on appelle « apprentis ».

Apprentis, compagnons et maître vivent ensemble dans le cadre de la corporation qui les protège, notamment contre la maladie et le manque de travail. La vie à l'intérieur d'une corporation est donc semblable à celle d'une famille unie par la passion que tous ses membres portent au métier qui les fait vivre.

Dans chaque atelier, les repas sont pris en commun et, en règle générale, tout le monde loge sous le même toit. Ainsi, pour les familles modestes qui ont parfois du mal à nourrir leurs nombreux enfants, placer un fils dans une corporation est un grand soulagement. C'est aussi une grande satisfaction car celui qui exerce un métier manuel occupe une place importante et reconnue dans la société de l'époque. En effet, au Moyen Âge, un charpentier, un boulanger ou

un serrurier sont beaucoup plus respectés et estimés qu'un médecin ou un comédien !

Très rapidement, chaque corporation se dote de textes clairs et précis qui définissent le fonctionnement de la profession : ce sont les statuts corporatifs. Rédigés en latin, langue officielle de l'Église et du royaume, les articles évoquent tous les aspects de la vie du métier. La durée de l'apprentissage, le nombre de personnes par atelier, les outils et matériaux autorisés ou interdits, les prix à ne pas dépasser, les heures d'ouverture et de fermeture… tout est soigneusement indiqué afin d'éviter les problèmes qui peuvent survenir à l'intérieur de chaque corporation. Tous les membres doivent connaître les règles et, surtout, les respecter sous peine de punitions ou d'amendes infligées par les gardes-métier, véritables inspecteurs du travail chargés de faire appliquer les règlements en vigueur. […]

CHOISIR UN MÉTIER, CHOISIR UN MAÎTRE

Ce ne sont pas les enfants qui choisissent la corporation, mais leurs parents.

C'est le père qui décide de placer son fils auprès d'un maître qu'il connaît ou qui jouit d'une très bonne réputation. Mais l'avenir de l'enfant est différent selon qu'il vient d'une famille riche ou pauvre.

Un enfant noble ne sera jamais orienté vers l'apprentissage d'un métier manuel, son avenir est déjà tout tracé: il sera page puis écuyer, avant de devenir un véritable chevalier comme son père.

Le fils d'un maître de corporation n'a quant à lui aucun souci à se faire: il apprendra le métier de son père dans l'atelier de celui-ci, avant de lui succéder le moment venu. Par contre, un enfant d'une famille pauvre a peu de chances d'être confié à un maître car l'apprentissage est payant. En effet, en échange d'une somme d'argent à verser chaque mois, le maître promet d'enseigner le métier, de loger et nourrir l'apprenti, de le vêtir et de le soigner si besoin est.

Lorsque le père du jeune garçon, qui doit avoir douze ans, et le maître se sont mis d'accord sur les conditions financières et matérielles de l'apprentissage, un véritable contrat lie le maître et le père de l'apprenti. Bien souvent, le contrat est signé dans l'atelier du maître le jour même du début de l'apprentissage.

La durée de l'apprentissage varie généralement de trois à six ans. Ainsi, l'apprentissage du métier de couvreur, particulièrement dangereux puisqu'il faut travailler sur les toits, nécessite six longues années. En revanche, pour les potiers, l'apprentissage est généralement terminé en trois ans.

Dans tous les cas, le maître promet de transmettre l'intégralité de ses connaissances, d'être bon et juste envers l'apprenti qui lui est confié. Il ne doit à aucun moment lui demander un travail trop difficile et n'est pas autorisé à user de châtiments corporels à l'encontre du jeune garçon. Ce dernier a donc des droits, liés à son jeune âge, comme celui de ne pas travailler s'il est trop fatigué ou malade, de se tromper quelquefois dans son travail puisqu'il est chez son maître pour apprendre. En retour, le jeune apprenti se doit d'être sérieux, travailleur et obéissant. Les devoirs qu'il a envers son maître sont inscrits dans les règlements de la corporation. C'est pour cela qu'il doit, au début de son apprentissage, promettre de respecter fidèlement les règles de la corporation. En cas de différend entre le maître et l'apprenti, ce sont les gardes-métier qui jugent la situation, prennent une décision et la font appliquer.

François Icher, *Apprentis et compagnons au Moyen Âge*, © Éditions du Sorbier (Coll. La vie des enfants), 2002.

EN PRIME

• Dans la fiche **38**, fais le point sur les métiers du Moyen Âge et établis des liens avec ce qui se passe aujourd'hui.

mordicus

Volume 3, numéro 8

DOSSIER
Bouger un jour,
bouger toujours

La force intérieure
**Un peu plus haut,
un peu plus loin**

En quête
de solutions
**Détectives
amateurs,
à vos plumes !**

Multimédia
**Mettre la santé
à l'affiche**

Section grammaticale
Se jouer des accords

Sommaire

Volume 3, numéro 8

Moi et les autres

Multimédia

SECTION GRAMMATICALE

Orthographe d'usage

Syntaxe

Vocabulaire

Orthographe grammaticale

Bande dessinée

Supplément

Boîte aux lettres

Faire tous les métiers

J'ai eu pas mal de difficulté à choisir le métier de mes rêves pour en parler aux autres. Beaucoup de métiers m'attirent. Selon ma mère, je ne dois pas m'en faire. « Tu as bien le temps, dit-elle, de trouver un métier à ton goût. »

Salvatore

Cher Salvatore,

Nous sommes tout à fait d'accord avec ta maman. Il est encore loin le moment où tu auras à choisir ton métier ou ta profession. Pour le moment, le plus important est de connaître tes goûts, tes intérêts et tes passions et d'explorer les multiples possibilités qui s'offrent à toi, même les plus fantaisistes.

Comme dit la chanson !

Quand j'ai appris qu'il existait des concours de rédaction de chanson, je me suis informé auprès de Patrice, mon enseignant. Il m'a donné une feuille d'inscription que j'ai aussitôt remplie. J'ai déjà commencé à rédiger mon texte.

Cédric

Bonne chance, Cédric !

Tout à loisir

Après avoir lu la rubrique *Moi et les autres*, Marie-Claude, notre enseignante, nous a mis au défi de donner suite à la suggestion de l'animateur d'une maison de jeunes, Bernard Massicotte. Notre classe a réussi à monter une banque d'activités impressionnante, que nous avons affichées sur le babillard de la classe. Nous avons décidé que chaque élève essaierait au moins une nouvelle activité au cours du mois. Samedi passé, j'ai joué au ping-pong avec Romain. C'était vraiment extra ! Il m'a appris que les joueurs de ping-pong s'appelaient des pongistes. Vous le saviez ?

Élodie

Non. Merci pour l'information ! Et bravo pour ta participation, Élodie !

★ Et toi, que retiens-tu du numéro 7 ? Y a-t-il des sujets ou des activités qui t'ont plu particulièrement ? Quelles activités t'ont permis d'apprendre de nouvelles choses ? Qu'as-tu trouvé facile ? difficile ?

Avant d'entreprendre le numéro 8, fais le point sur tes apprentissages.

Éditorial

Le courage d'être soi

Il s'appelle Billy, elle se prénomme Corina. L'un et l'autre caressent un rêve. Billy devra trouver le courage d'être lui-même et Corina puiser en elle la force de suivre son exigeant parcours. Tous deux chercheront à se dépasser.

Il demande qu'on l'appelle Jean Quête. C'est un détective en herbe digne d'Hercule Poirot. Il a du culot et un chien « pas piqué des vers ». Il croit en lui, et ça lui réussit.

Elle s'appelle Chantal Petitclerc. C'est une battante, une véritable championne, une immense source d'inspiration et une leçon de courage.

Tu t'appelles Laurence, Marc-André, Aïcha ou Nicolas. Tu as tes propres rêves. Pour leur donner forme, tu dois croire en tes possibilités. Comme Billy, brave les préjugés. Comme Corina, crois en toi et ne lâche pas. Comme Jean Quête, fais-toi confiance. La confiance engendre la confiance. Et comme Chantal Petitclerc, ne baisse pas les bras et dépasse-toi !

Viens à la rencontre de ces personnages réels et imaginaires. Viens à ta rencontre. Viens rire, t'amuser, bouger et exercer ta créativité. Viens fabriquer tes propres images.

La rédactrice en chef, au nom de toute l'équipe

Sens Obligatoirement Surprenant

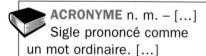

SIGLE n. m. – Abréviation formée par les premières lettres d'un groupe de mots.

Dictionnaire Super Major – 9/12 ans
© Larousse-Bordas, 1997.

ACRONYME n. m. – [...] Sigle prononcé comme un mot ordinaire. [...]

Extrait du *Petit Robert de la langue française*, version CD-ROM.

Ils sont partout dans les journaux, les téléjournaux, à la radio. Parfois, on les reconnaît sur-le-champ. Parfois, leur origine nous échappe complètement. Toi, saurais-tu dire ce que signifient le **sigle** *HLM*, l'**acronyme** *MEQ* ou l'abréviation *Mme* ?

Voici l'occasion pour toi d'associer des mots à ces lettres et de jouer avec ces mots abrégés.

1 Avec votre enseignant ou votre enseignante, trouvez ensemble la signification des mots abrégés suivants. N'hésitez pas à consulter un dictionnaire.

Sigles	Acronymes	Abréviations
ADN	cégep	svp
CLSC	laser	C. V.
DVD	NASA	QC
GRC	radar	MM.
OGM	REER	N. B.
TPS	ovni	P.-S.

DVD   NASA

ovni

2 Connais-tu d'autres mots abrégés ? Fais-en part à la classe. Au besoin, explique le sens de ces mots à tes camarades.

3 En équipe de deux, choisissez une dizaine de mots abrégés et donnez-leur une nouvelle signification.

Ex.: HLM (**h**abitation à **l**oyer **m**odique):
habitation pour **l**ocataires **m**ignons

4 Présentez vos meilleures trouvailles à la classe.

5 Comment as-tu procédé pour trouver une autre signification aux mots abrégés?

Petit ana deviendra GRAND

... pourvu que tu l'alimentes avec les mots que tu aimes et tes plus belles créations.

L'année dernière, nous te suggérions de constituer un ana, c'est-à-dire un recueil de bons mots, pour y consigner les mots que tu découvres, qui t'amusent, que tu crées. Nous te proposons de le poursuivre ou d'en commencer un nouveau.

1 Inaugure ton ana en y consignant tes définitions les plus astucieuses des mots abrégés.

2 As-tu conservé les rébus et les lipogrammes que tu as faits au début de l'année? Oui? Alors inscris-les sans tarder dans ton ana.

UN 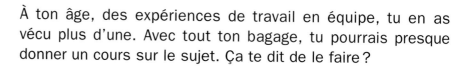 RÔLE

SUR MESURE

Animateur ou animatrice

À ton âge, des expériences de travail en équipe, tu en as vécu plus d'une. Avec tout ton bagage, tu pourrais presque donner un cours sur le sujet. Ça te dit de le faire ?

Voici notre proposition : préparer en équipe une leçon sur les rôles à exercer au sein d'une… équipe.

1. Comme il est plus facile de parler d'un sujet qu'on aime, choisis parmi les rôles illustrés sur cette page celui que tu préfères exercer.

2. Fais équipe avec des élèves qui ont retenu le même rôle que toi.

Responsable du temps et du matériel

3. Pour élaborer votre leçon, faites l'inventaire de ce que vous savez sur ce rôle. À l'aide des questions suivantes, mettez en commun vos connaissances et vos expériences.

   • Pourquoi aimez-vous exercer ce rôle ?

   • Pourquoi est-il important de bien jouer ce rôle ?

   • Quelles sont les responsabilités liées à ce rôle ?

   • Quelles sont les qualités nécessaires pour bien exercer ce rôle ?

Porte-parole

   • En quoi ce rôle se distingue-t-il des autres rôles à jouer au sein d'une équipe ?

   • Dans quel genre de métier ce rôle est-il mis en valeur ?

   • Quand vous tenez ce rôle dans une équipe, qu'est-ce qui vous permet de dire que vous l'avez bien exercé ?

Secrétaire

106

4. À partir de toutes vos données, planifiez votre leçon. Imaginez la meilleure façon de transmettre votre information. Au besoin, puisez des idées dans l'encadré. N'hésitez pas à combiner ces idées.

DIVERSES FAÇONS DE FAIRE LA LEÇON

- Imaginer une saynète pour illustrer la manière de bien ou mal tenir ce rôle.

- Concevoir une affiche qui présente les comportements à adopter et ceux à éviter.

- Élaborer un jeu-questionnaire qui présente pêle-mêle les comportements à adopter et ceux à éviter. Les joueurs doivent encercler les comportements positifs.

- Préparer la fiche d'identité de la personne modèle qui exerce ce rôle.

- Imaginer un entretien entre un ou une journaliste et un ou une spécialiste d'un rôle.

- Créer un personnage de professeur farfelu donnant une leçon sur ce rôle.

- Créer un personnage d'élève qui exerce ce rôle de travers. Les élèves de la classe doivent l'aider à s'améliorer.

- Imaginer une publicité vantant les mérites de ce rôle.

---

5. Préparez votre leçon. Répartissez-vous les tâches et exercez-vous.

6. À vous de jouer les professeurs !

7. Pour préparer la leçon avec tes coéquipiers, as-tu joué uniquement ton rôle préféré ? Pourquoi ?

8. Pour te rappeler comment exercer chacun des rôles, résume sur de petits cartons les principales tâches reliées à chaque rôle ou conçois une affiche à l'aide de la fiche 39.

L'anathèque

Comment pourrais-tu faire profiter toute la classe de ton ana ? Comment pourrais-tu profiter toi-même des bons mots contenus dans les anas de tes camarades ? En mettant tes données et les leurs en commun. En créant collectivement une **base de données**. Tous pour un, un pour tous !

Une base de données ressemble à un grand fichier. Chaque fiche est construite sur un même modèle contenant plusieurs **champs**.

En créant ta base de données, tu choisis les champs de ta fiche : un champ pour écrire le mot, un autre pour écrire le nom de la personne qui l'a relevé, un autre qui donne la catégorie du mot (ex. : sigle, mot-valise), etc.

Mot	
Élève	
Catégorie du mot	

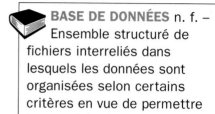

BASE DE DONNÉES n. f. – Ensemble structuré de fichiers interreliés dans lesquels les données sont organisées selon certains critères en vue de permettre leur exploitation.

Le grand dictionnaire terminologique, Office de la langue française, 2001.

CHAMP n. m. – Partie [...] réservée à l'enregistrement d'informations spécifiques dans une base de données.

Le grand dictionnaire terminologique, Office de la langue française, 2002.

1. Collectivement, décidez du type de renseignements que vous souhaitez mettre sur une fiche : mot, nom de l'élève, catégorie du mot, etc. Ces renseignements vous serviront à définir les champs de la base de données.

2. Suis ensuite les consignes de la fiche **40** pour apprendre à utiliser correctement une base de données.

3. Quelles difficultés as-tu éprouvées ? Qui t'a aidé ou aidée à les surmonter ?

4. Comment contribueras-tu à enrichir la base de données ?

un camionstre

La force intérieure

Trouver en soi les moyens de donner une forme à ses rêves, de persévérer malgré les difficultés n'est pas l'apanage des grands personnages. C'est tout à fait à ta portée !

CIBLE 1

Faire le portrait d'un personnage pour mieux le connaître. **L A**

Comparer son interprétation avec celle d'un ou d'une autre élève. **L A**

CIBLE 2

Écrire un dialogue mettant en scène des personnages de roman. **É**

Jouer sa saynète. **L O**

Ce n'est pas la force, mais la persévérance qui fait les grandes œuvres.

Samuel Johnson, écrivain

Le talent, c'est avoir l'envie de faire quelque chose.

Jacques Brel, chanteur

CIBLE 1

La littérature foisonne de jeunes personnages qui tentent d'accomplir leurs rêves. Tu en découvriras ici deux qui font preuve d'une belle **détermination**.

1. Fais la connaissance de Corina et de Billy en lisant les textes des pages 112 à 120.

2. Qu'est-ce qui t'a le plus frappé ou frappée dans ces textes ? Note tes premières impressions dans ton carnet de lecture.

3. Pour mieux connaître ces deux personnages, joins-toi à un ou une camarade. Choisissez qui de vous deux fera le portrait de Billy et qui fera celui de Corina. Plus tard, vous mettrez vos portraits en commun.

4. Utilise la fiche **41** pour faire ressortir les traits de caractère du personnage que tu as choisi et cerner sa personnalité. Pour t'aider à remplir cette fiche, prête une attention particulière aux **dialogues**.

DÉTERMINATION n. f. – Comportement d'une personne décidée, résolue. *Affronter les difficultés avec détermination.*

Dictionnaire Fleurus junior 8/12 ans, Éditions Fleurus, 2001.

STRATÉGIE

L

Pour saisir les sentiments et les comportements des personnages à travers les dialogues, il faut être attentif :

- à la manière dont les répliques sont prononcées ;
  Ex. : *Il a hurlé...*

- au contenu des répliques qui expriment les idées, les opinions et les sentiments des personnages ;

- aux mots qui révèlent les relations entre les personnages.

5. Avant de présenter ton personnage à ton ou ta partenaire, compare tes réponses avec un ou une élève qui a analysé le même personnage que toi.

   a) Surlignez les éléments semblables.

   b) Justifiez vos autres réponses en vous appuyant sur des indices tirés du texte.

6. De quelle façon l'examen des dialogues t'a-t-il permis de mieux cerner ton personnage ?

7. Retrouve ton ou ta partenaire pour lui présenter ton personnage. Propose-lui de prendre des notes sur sa fiche 41.

8. Comparez vos personnages à l'aide des questions de cette fiche.

9. En quoi la comparaison des deux personnages t'a-t-elle permis de mieux connaître ton propre personnage ?

10. Comment Corina et Billy font-ils preuve de détermination ? Fais part de ton point de vue à la classe.

11. De quel personnage te sens-tu le plus près ? Pourquoi ? Ressembles-tu à ce personnage ? De quelle façon ? Note tes réflexions dans ton carnet de lecture.

Corina

*Plusieurs championnes olympiques de gymnastique ont étudié
à la fameuse école de Deva située dans une petite ville de Roumanie.
Corina caresse le rêve d'être acceptée à cette école réputée,
convaincue qu'elle possède l'étoffe d'une grande gymnaste.*

C'était une radieuse journée d'automne, de celles qui accompagnent souvent la rentrée des classes. Les feuilles avaient commencé à virer au jaune or, à l'orangé et au rouge vermeil dans la petite ville roumaine de Livezi, alors que les enfants couraient dans le boisé qui entourait l'école.

Après les longues vacances d'été, c'étaient les joyeuses retrouvailles des copains qui s'échangeaient les nouvelles, se lançaient le ballon, faisaient la course entre les grands arbres en se bousculant un peu.

Une petite fille, pourtant, venait lentement, songeuse et silencieuse au milieu du chahut général. Elle répondait à peine aux bruyantes sollicitations de ses camarades. Elle s'arrêta soudain, se pencha, puis ramassa une feuille dorée qu'elle serra très fort entre ses mains en fermant les yeux. Son joli visage tout rond, aux pommettes couleur de coquelicot, s'éclaira d'un chaud sourire. Elle secoua la tête, ce qui fit voler, comme des plumes autour de son front, ses deux petites couettes couleur marron, lisses et douces comme des noisettes. [...]

À quelque cent pas devant elle, Corina venait d'apercevoir Mitran, son entraîneur de gymnastique. Elle s'élança vers lui en trois bonds, fit une pirouette et atterrit sur ses mains à deux pas de lui. L'homme éclata de rire.

— Bonjour, Corina!

Elle sauta sur ses pieds en faisant une révérence et emboîta le pas à Mitran. Sans plus de préambule, elle demanda :

— Mitran, on fait un concours à l'école de Deva pour sélectionner les candidates en gymnastique, cette année?

Un éclair de surprise se peignit sur le visage de Mitran.

— Oui bien sûr, et alors?

Corina eut un rire espiègle.

— Et alors, je connais une de vos élèves qui adorerait se présenter au concours.

— Au concours de gymnastique?

— Mais oui!

— Tu aimerais vraiment te présenter au concours? demanda encore Mitran.

— Bien sûr!

L'entraîneur regarda un moment la petite frimousse rieuse de son élève. C'est vrai qu'elle était douée. Mais était-ce suffisant pour être acceptée à la fameuse école de Deva? Savait-elle seulement ce qui l'attendait? [...]

Corina regardait Mitran qui, sans en avoir l'air, réfléchissait.

— Tu sais, Corina, si tes parents avaient voulu que tu fréquentes l'école de Deva, il y a longtemps qu'ils auraient fait la demande…

Corina l'interrompit.

— Ils ne savent pas comme je suis douée, c'est tout…

L'entraîneur regarda les grands yeux suppliants de Corina.

— Tu as bien réfléchi? C'est vraiment ce que tu veux?

— Oui, absolument.

Le ton décidé de la petite fille fit sourire Mitran.

— Tu devras travailler très, très fort, tu sais, et pendant de très, très longues heures.

— Oui, je sais.

— Tu devras obéir au doigt et à l'œil.

— Oui.

— Tu auras des ampoules aux mains…

— Tant pis, je porterai des gants!

Mitran se tut pendant un long moment. Il savait que présenter une élève au concours de Deva était un aussi grand défi pour l'entraîneur que pour l'élève. Sa propre réputation était en cause.

— Tu sais, Corina, ça ne sera pas facile. Tu es plus âgée que les autres et tu devras travailler deux fois plus fort.

— Je sais.

— Lorsque tes amies iront jouer, tu devras rester au gymnase pour travailler. Tu pourras le faire?

— Oui, je pense.

— Et les pâtisseries? Les friandises? Tu seras capable d'y renoncer? Sans tricher?

Corina pouffa de rire. Si Mitran parlait de pâtisseries, c'est sûrement qu'il acceptait.

Elle appuya ses mains au sol et effectua une superbe culbute sous les yeux amusés de l'entraîneur.

— Ça ira, dit-elle, je n'aime pas les pâtisseries!

— Oh, vraiment? demanda Mitran, incrédule.

Corina exultait. Enfin, elle allait pouvoir réaliser son rêve… […]

✶

Les quelques semaines qui suivirent se révélèrent une véritable épreuve de force aussi bien pour Mitran que pour Corina. Lentement, la fillette découvrait que le passage du rêve à la réalité ne s'accomplit jamais sans heurt. Elle travaillait sans relâche, consacrant chaque seconde libre à parfaire les mouvements inscrits au programme du concours.

À son insu, Corina commençait à donner un sens nouveau à certains mots comme effort, espoir, ténacité, et à des mots comme inquiétude et appréhension aussi. Non pas qu'elle se perdît dans de longues et profondes réflexions, elle n'en avait ni le temps ni le tempérament, mais une ombre passait parfois sur son visage rieur, ce qu'avait tout de suite noté son père.

Au milieu du tourbillon sans fin des préparatifs du concours, Corina se sentait tantôt galvanisée par l'espoir de réaliser son rêve, tantôt épuisée par les longues heures de travail qu'elle s'imposait. Allait-elle décevoir Mitran? Voulait-elle vraiment quitter sa famille, ses amis, sa petite ville pour s'exiler à cette école de Deva dont rêvent toutes les petites gymnastes roumaines? Un léger frisson parcourut les épaules de Corina. Pour la dixième fois, elle grimpa sur la barre et, sous l'œil attentif de Mitran, elle répéta l'exercice.

Chez Mitran aussi, ces dernières semaines avaient provoqué une certaine angoisse. Bien sûr, il s'était laissé enthousiasmer par le rêve de la petite, mais sans y réfléchir beaucoup. Il s'en voulait de n'avoir pas consulté son amie Dalia avant d'aller convaincre le père de Corina.

C'était la première fois qu'il présentait une élève au concours de Deva. Et si elle échouait, sa carrière à lui allait-elle en souffrir? Il sourit à Corina, qui venait de réussir un saut parfait et retombait droite et gracieuse au sol, un éclatant sourire aux lèvres.

— Ça suffit pour ce soir, Corina. Cours vite te reposer à la maison. Nous partons demain.

— Mes bagages sont prêts, dit Corina en regrimpant sur la barre.

Mitran l'arrêta d'un ton sec.

— Tu m'obéis au doigt et à l'œil, tu te souviens?

La mine piteuse de Corina fit presque sourire Mitran, qui la poussa doucement vers le vestiaire.

— À demain, Corina.

Julien, Viviane, *La championne*, Éditions Québec/Amérique, (Coll. Contes pour tous), 1991.

Billy

Billy vit dans une ville minière d'Angleterre. Dans sa famille, on est mineur et on fait de la boxe de père en fils. Billy, sans le dire à son père, a arrêté ses cours de boxe pour se consacrer à la danse.

Je sautais tellement haut que, par la fenêtre, j'arrivais à voir la remise où ils rangent le matériel de sport. Mme Wilkinson n'arrêtait pas de me répéter :

— Il n'y a pas que la hauteur qui compte, Billy. Il faut que tu contrôles ton saut. Concentre-toi !

Pourtant, j'étais concentré. Je me concentrais pour sauter le plus haut possible. J'aimais tellement ça, m'envoler au-dessus de leur tête, à toutes ces filles. On aurait dit de petites plumes qui flottaient au niveau de mes genoux.

Maintenant je savais faire les pliés, les jetés, les ports de bras et tout ça. La prof disait que j'étais doué. Elle passait la moitié du cours à s'occuper de moi, comme si elle n'en avait plus rien à faire des autres. Et du coup, elles n'arrêtaient pas de râler. […]

J'étais vraiment dans le truc. J'attendais le cours du samedi toute la semaine. Et une fois que j'avais commencé à danser, j'aurais aimé ne jamais m'arrêter. Debbie avait raison quand elle disait qu'il fallait de l'endurance. Ça a peut-être l'air facile, mais ce n'est pas vrai. C'est dur. Je m'entraînais tellement que, maintenant, j'étais meilleur en foot, en cross et tout. Je pouvais courir pendant des heures.

J'avais dû perdre la boule.

Ça devait arriver. Je me racontais des histoires. Pourtant Michael m'avait prévenu :

— Il va finir par s'en apercevoir. Et qu'est-ce que tu feras à ce moment-là, hein ?

Je savais qu'il avait raison, mais j'espérais que peut-être, si je n'y pensais pas, ça n'arriverait pas. Je me disais : « Allez, rien que cette semaine. Encore un cours et je retourne à la boxe. » Mais plus ça allait, plus ça me plaisait et plus je progressais. Et comme Papa ne venait plus me voir au cours de boxe, je pensais que ça pourrait toujours continuer comme ça.

Et bien sûr, quand c'est arrivé, je n'ai rien vu venir, il ne m'a pas posé de questions ni rien. Il a juste débarqué au beau milieu du cours.

— Lève bien la jambe, Billy. Et seconde, deux trois. Et rond de jambe, deux trois. Et en l'air, deux trois. Qu'est-ce que c'est que ça ? Un peu de grâce, Billy Elliot.

Je faisais tourner ma jambe lentement, pour décrire un beau cercle bien fluide… quant j'ai levé les yeux et vu mon père. […]

— Rond de jambe, deux trois. Et en l'air, deux trois. Comme une princesse, Debbie. Un beau port de tête ! Un deux trois… Qu'est-ce qui te prend, Billy ?

Elle venait de remarquer que je ne bougeais plus. Puis la musique s'est arrêtée. Alors elle s'est retournée et elle a vu mon père. Il était tout rouge. Il a hurlé :

— Sors d'ici tout de suite !

Du coin de l'œil, je l'ai vue s'avancer vers lui comme si elle allait le manger tout cru – et je suis sûr qu'elle aurait pu.

Enfin, elle aurait essayé tout du moins parce qu'elle ne supporte pas que quelque chose lui résiste. Mais la dernière chose que je voulais, c'était un match entre eux à qui crierait le plus fort.

J'ai vite rejoint mon père. Et en passant, je lui ai glissé :

— Laissez tomber, madame. Je vous en supplie.

J'avais tellement honte. Pour papa, j'étais une femmelette parce que je faisais de la danse et pour elle, j'étais une femmelette parce que je n'osais pas lui tenir tête. C'était trop.

La porte a claqué derrière moi. Il me tenait par le bras et me poussait devant lui.

— Tu vas devoir t'expliquer, mon petit gars, il m'a dit.

Et on est rentrés à la maison au pas de course. Il n'a pas dit un mot de tout le trajet. […]

Arrivé à la maison, il m'a désigné une chaise. Il a enlevé son manteau sans me quitter des yeux, puis il s'est assis en face de moi. Et il n'avait toujours pas prononcé une syllabe. Il faut voir combien de temps il garde le silence, plus c'est long, plus c'est mauvais signe.

Cette fois, je me demandais même s'il allait m'adresser à nouveau la parole un jour.

Je savais ce qu'il voulait. Il voulait que je m'excuse. Eh bien, non. Pas question. Il pouvait toujours attendre. C'était complètement idiot. Je n'avais rien fait de mal.

— De la danse ! a-t-il fini par lâcher.

— Et alors ? C'est quoi le problème ?

Ma grand-mère était assise près de la fenêtre en train de grignoter un pâté en croûte, elle nous regardait comme si on était un feuilleton à la télé. Je me suis tourné vers elle. C'était plus facile que de soutenir le regard de mon père. Du coin de l'œil, j'ai vu qu'il redevenait tout rouge.

— Le problème ? Regarde-moi, Billy. Tu me prends pour un imbécile ?

— Non, mais je peux bien faire de la danse. Je ne vois pas le problème, j'ai répondu en lui faisant face.

— Tu ne vois pas ?

J'avais la trouille. Ses lèvres étaient toutes blanches.

Ma grand-mère a ramené son grain de sel :

— Moi, j'en ai fait de la danse.

— Tu vois ? Y a rien d'anormal, j'ai dit.

— Pour ta grand-mère, Billy. Pour une fille. Pas pour un garçon. Les gars, ça fait de la boxe, du catch, des trucs comme ça.

— Y en a dans le coin, qui font du catch ? j'ai demandé.

Et là, je l'ai coincé, parce qu'il n'y a personne qui fait du catch par ici.

— Tu sais bien ce que je veux dire.

— Non justement, je ne sais pas.

— Ne commence pas, Billy.

— Je ne vois pas où est le problème, c'est tout.

— Tu sais parfaitement ce qui cloche.

— Non, je te dis.

— Mais si.

— Non !

— Mais si, tu le sais très bien. Tu me prends pour qui ? Tu sais très bien ce qui ne va pas.

— Je fais de la danse. Voilà. C'est tout. Je ne vois pas ce qu'il y a de mal.

Enfin… Bon, d'accord, je savais ce qu'il voulait dire. En fait, je pensais la même chose avant. La danse, c'est pas pour les garçons. C'est pas comme le foot ou la boxe où il faut être fort, costaud. […] C'est pas un truc de mineur. C'est pas notre genre, à nous autres.

Eh bien, peut-être que je ne suis pas fait pour être mineur. Et puis même, qu'est-ce que ça changerait ? Pourquoi on ne pourrait pas être mineur et faire de la danse, hein ? Pourquoi ça serait pas notre genre ? Moi, j'en fais, de la danse, alors maintenant, c'est notre genre, voilà. Je ne suis pas obligé de faire exactement la même chose que mon père quand même ! Et c'est pas parce que j'aime danser que j'ai complètement changé et que je ne suis plus des leurs.

Melvin Burgess, *Billy Elliot*, Éditions Gallimard Jeunesse (Coll. Folio junior), 2001.

CIBLE 2

Il est plus facile de surmonter des obstacles quand les autres nous encouragent. S'ils se connaissaient, comment Corina et Billy pourraient-ils s'entraider, se soutenir mutuellement ? Et si tu imaginais leur rencontre ?

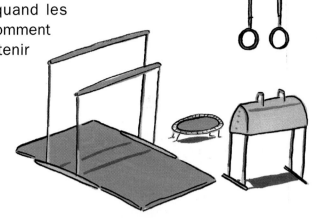

1. Prends connaissance des situations difficiles que pourraient vivre Corina ou Billy.

Situation 1

Un des personnages manque d'assurance avant une compétition. L'autre lui redonne confiance.

Situation 2

Un des personnages est découragé car il trouve son entraîneur trop exigeant. L'autre lui remonte le moral.

Situation 3

Un des personnages est victime d'une erreur des juges dans une compétition. L'autre le réconforte.

Situation 4

À cause du refus de ses parents, un des personnages doit interrompre son entraînement. L'autre lui suggère une façon de les faire revenir sur leur décision.

Situation 5

Un des personnages a subi une blessure qui l'empêche de participer à une compétition. L'autre le soutient dans cette épreuve.

Situation 6

Un des personnages veut abandonner l'entraînement qu'il trouve trop difficile. L'autre le pousse à continuer.

STRATÉGIE

⓪

Pour participer à un remue-méninges, tu dois :

• dire toutes les idées qui te passent par la tête ;

• ne pas juger ni critiquer les idées des autres ;

• t'inspirer des idées émises pour en proposer d'autres ;

• n'interrompre personne.

2. Choisis une situation que tu aimerais mettre en scène.

3. Participe à un remue-méninges avec les élèves qui ont choisi la même situation que toi. Note sur une feuille toutes les idées émises.

4. Fais équipe avec un ou une élève pour écrire la saynète. Avant de commencer à rédiger, examinez de plus près le dialogue entre Corina et Mitran, son entraîneur (p. 114), et répondez aux questions de la fiche **42**.

5. Pour créer un dialogue entre Corina et Billy, passez en revue les idées du remue-méninges et surlignez celles qui vous inspirent.

6. Concevez votre dialogue à partir de ces idées. Pour rédiger le dialogue, décidez qui se mettra dans la peau de Billy et qui incarnera Corina.

7. Écrivez votre dialogue en tandem : chaque membre de l'équipe imagine les répliques du personnage qu'il jouera. Assurez-vous de faire progresser la situation de départ vers la résolution du problème.

⭐ 8. Comment l'analyse du dialogue entre Corina et Mitran t'a-t-elle été utile dans la rédaction de ta saynète ?

9. Soumettez votre dialogue à une autre équipe. Éliminez les répliques qui, selon elle, ralentissent l'action.

10. Retravaillez votre texte.

a) Rédigez une courte introduction présentant votre dialogue.

b) Assurez-vous de noter les changements d'inter-locuteurs. SYNTAXE ▸ **p. 157** **p. 159**

c) Ajoutez des indications sur la manière de prononcer certaines répliques.

11. Faites une courte répétition.

12. Votre texte en main, jouez votre saynète devant la classe.

122

PROJET

DOSSIER Bouger un jour, bouger toujours

Bouger aide à se sentir bien. En plus d'être excellent pour la santé, l'exercice physique procure du plaisir et développe la concentration et la persévérance.

Dans ce dossier, nous te proposons de promouvoir une activité physique auprès de tes camarades pour leur donner le goût de bouger. La réalisation de ce projet te donnera l'occasion de développer ton esprit de coopération en partageant tes idées, tes talents et ton expérience avec les autres. Pour cela, tu utiliseras à nouveau le contrat de projet (fiche 11).

Voici les étapes à franchir pour mener ton projet à bien.

Tour de piste
- Exprimer ses idées et enrichir celles des autres.
- Lire des textes pour s'informer.
- Proposer des idées de projets.
- Former une équipe.

Chacun son rôle
- Préciser le but du projet.
- Donner et recevoir de l'aide pour rassembler l'information.
- Partager l'information recueillie et la commenter.

Mise en scène
- Choisir en équipe l'information utile au projet.
- Organiser l'information retenue.
- Planifier le travail de l'équipe.
- Faire une répétition.

Le lever du rideau
- Présenter sa production.
- Soutenir ses partenaires durant la présentation.
- Évaluer sa participation au projet.

Tour de piste

Remue-méninges

1 Fais part à la classe des sports que tu pratiques et des jeux de plein air que tu aimes.

2 Ensemble, classez les réponses des élèves de la classe dans un tableau semblable à celui-ci.

Sports et jeux	individuels	à deux (contre un ou une adversaire)	en équipe
intérieurs	🖍	🖍	🖍
extérieurs	🖍	🖍	🖍

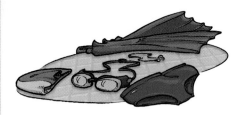

3 Pour enrichir le tableau, lis les pages 126 à 130. Note sur une feuille les idées que ces textes te suggèrent.

4 Fais part de tes idées à la classe.

5 Parmi les activités physiques énumérées, lesquelles t'inspirent des idées de projets ? Au besoin, lis les suggestions de l'encadré ci-dessous.

DES IDÉES DE PROJETS

- Organiser un rallye d'obstacles dans la cour de l'école.

- Organiser des jeux d'équipe dans la cour de l'école.

- Mettre sur pied un programme d'exercices physiques pour une séance d'échauffement collective.

- Vanter les mérites de son activité physique préférée dans le but d'inciter les autres à la pratiquer.

- Faire une démonstration d'une activité physique et l'expliquer.

- Inventer un jeu de plein air et en décrire les règles.

- Créer un jeu de rôle sur les règles de sécurité à respecter dans la pratique d'une activité physique.

6 Comment t'y prendras-tu pour partager des idées de projets à tes camarades?

Choix du sujet et formation des équipes

7 Quelles idées de projets proposées aimerais-tu réaliser? Choisis-en trois en les plaçant par ordre d'importance. Joins-toi à trois autres élèves qui ont retenu ton premier choix. Si vous êtes trop nombreux, joins-toi aux élèves qui ont retenu ton deuxième ou ton troisième choix.

8 Ressortez des textes l'information qui peut convaincre votre auditoire des bienfaits de l'exercice physique. Pour cela, répondez aux questions de la fiche **43**.

9 Revoyez vos défis personnels fixés dans le dernier contrat de projet. Sur la fiche **44**, trouvez un moyen pour relever ces défis dans ce projet-ci.

10 Remplissez la section TOUR DE PISTE de votre contrat de projet.

11 Comme au baseball, tu dois viser un but à chaque étape de ton projet. Pour revenir sur tes aptitudes au travail coopératif, nous te proposons une partie de baseball peu commune. Prends connaissance de ton circuit sur la fiche **45**.

12 Comment as-tu procédé pour exprimer tes idées aux autres? Évalue cette habileté à l'aide des questions de la case 1er BUT de la fiche 45.

STRATÉGIE

Quand tu veux partager des idées, tu peux:

- fournir des exemples ou des explications pour mieux te faire comprendre;

- demander des précisions ou des explications si tu ne saisis pas ce que les autres disent.

LE BON CHOIX

Sport d'équipe ou individuel, en salle ou en plein air, à la mer ou à la montagne? Des dizaines d'activités s'offrent à toi. Selon tes goûts, tes capacités physiques et tes qualités (ou pourquoi pas? tes défauts) tu trouveras le sport qui te convient le mieux. Quitte à en essayer plusieurs…

L'école de la vie

Faire du sport t'apporte beaucoup dans ta vie de tous les jours! De mille et une façons, tu te sens mieux. Mieux dans ton corps, plus vif et plus dynamique. Mieux dans ta peau, car tu as davantage confiance en toi. La pratique d'un sport, avec des règles à suivre et une certaine discipline t'apprend à mieux te connaître, et développe chez toi la volonté, le goût de l'effort et de la réussite, l'attention aux autres. Tu deviens un joueur *fair play*, qui respecte ses adversaires.

L'essentiel, c'est de trouver le sport que tu prendras plaisir à pratiquer régulièrement… et longtemps. Sinon tu ne progresseras pas, et tu risques de t'en dégoûter. N'hésite pas à faire des essais dans plusieurs sports avant de te décider. Certains clubs prêtent l'équipement pour les premières séances, ce qui évitera à tes parents d'investir trop tôt dans un matériel coûteux…

À chacun son sport

Tu peux être attiré par un sport pour lequel tu es «doué»… Ou au contraire, par un sport qui répond à un manque… Et c'est aussi bien! Tu peux choisir le karaté parce que tu es combatif… ou parce que tu es timide. Voici quelques exemples qui te donneront peut-être des idées…

« JE CHERCHE UN DÉFOULEMENT »

Pourquoi pas l'athlétisme? Tu vas pouvoir te dépenser à fond : courir, sauter ou lancer de toutes tes forces un objet. Le judo et les autres sports de combat te permettront aussi de te défouler tout en t'aidant à contrôler ton énergie et en t'apprenant le respect des autres. Les sports de glisse, comme le ski, le surf ou la planche, sont une autre façon de «s'éclater».

« J'AIME L'AMBIANCE DE GROUPE »

Les sports d'équipe sont faits pour toi! Ce sont principalement les sports de ballon comme le foot, le basket, le handball ou le volley. Si tu préfères t'amuser en plein air, le soccer ou le football se jouent dehors. Et si tu aimes l'eau, pense au water-polo...

« JE NE SUIS PAS COSTAUD »

Tu n'as pas encore fini de te développer! Mais même si tu restes maigre, ce « défaut » peut être un avantage. Regarde les coureurs de marathon, ils sont le plus souvent légers et pas très grands. Et Miguel Martinez, le Français qui a remporté la médaille de bronze olympique en VTT à Atlanta, mesure 1,62 m et pèse 52 kg. Si tu veux te muscler et renforcer ta carrure, la gym, le judo ou la natation peuvent t'aider.

« MON DOS EST UN PEU FRAGILE »

Pas d'hésitation, il faut aller à la piscine. Tu peux faire de la natation, du water-polo ou de la natation synchronisée.

« J'AIME LA NATURE »

Pourquoi ne pas faire de l'équitation? Tu pourras galoper dans la campagne... L'escalade, la spéléologie, la randonnée pédestre, le ski de fond, la raquette, le canoë, le kayak, le surf, la voile, la course d'orientation... il existe plein d'activités qui te permettront de profiter des richesses naturelles de ta région.

Même si tu as déjà choisi ton sport, il n'est pas mauvais d'en pratiquer un autre en complément. Tu pratiques une discipline solitaire? Choisis un sport d'équipe. Tu es tout le temps à l'intérieur? Trouve-toi une activité de plein air. Tu travailles surtout un côté de ton corps, comme au tennis, ou à l'escrime? Compense avec un sport complet, comme l'athlétisme. Les bons sports complémentaires sont la natation, idéale pour la résistance et qui renforce le dos, et la course à pied qui améliore l'endurance. Ainsi, tu deviendras meilleur dans ton sport numéro 1.

Serge Guérin, *Copain des sports, le guide des petits sportifs* © Éditions Milan, 1997.

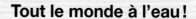

Tout le monde à l'eau !

Quoi ? La natation

Pour qui ? Pour tout le monde, jeunes et moins jeunes.

Quand ? En tout temps, hiver comme été.

Où ? Dans une piscine intérieure ou extérieure, dans un lac, une rivière, la mer ou même... l'océan !

Équipement : Un maillot. Le bonnet de bain est parfois obligatoire et des lunettes sont parfois utiles pour protéger les yeux.

Avantages : La natation permet de se garder en forme tout en s'amusant. C'est un sport très complet qui fait travailler tous les muscles. Il est peu coûteux et facilement praticable (il y a des piscines un peu partout).

Désavantages : En voyez-vous ? Nous, non !

Un sport populaire

Qu'est-ce qui est presque aussi populaire que les Jeux olympiques, qui compte 250 millions d'adeptes à travers le monde et qui se pratique sur les cinq continents ? Le soccer.

Au Québec, il a fallu des années avant qu'on s'intéresse vraiment à ce sport. Mais depuis quinze ans, le nombre de joueurs inscrits à la Fédération de soccer du Québec est passé de 50 000 à 150 000. De plus en plus populaire auprès des jeunes (la majorité des joueurs ont entre 5 et 11 ans), le sport intéresse aussi de plus en plus de filles (trois joueuses sur dix) !

Le sport pour tous

En 1948, Sir Ludwig Guttman organisait pour la première fois des Jeux internationaux où les athlètes se déplaçaient en fauteuil roulant. Au fil des ans, différents sports à l'intention de différents types de handicaps se sont ajoutés. Aujourd'hui, les Jeux paralympiques d'été et d'hiver représentent la plus grande compétition internationale pour les athlètes handicapés.

En 1968, le Canada participait à ces jeux pour la première fois. Un an plus tard, dans la région de Québec, naissait une petite fille qui allait devenir une de nos grandes athlètes : Chantal Petitclerc. Adolescente, elle subit un grave accident qui la laisse paraplégique. Pour garder la forme, la jeune fille commence à s'intéresser aux sports. Elle pratique d'abord la natation, un sport qui lui redonne confiance et lui donne envie d'aller plus loin, de se dépasser. Quelques années plus tard, elle se met à la course en fauteuil roulant, une discipline qui deviendra sa spécialité.

CHANTAL PETITCLERC

Déterminée, persévérante, attachante, pleine de vie et d'entrain, voilà des qualificatifs qui décrivent bien Chantal Petitclerc, cette sportive de renommée internationale.

Chantal s'entraîne quatre heures par jour, six jours par semaine, onze mois par année ! Grâce à sa persévérance et à sa détermination, elle remporte de nombreux titres canadiens puis internationaux. En plus de détenir plusieurs records, cette athlète a remporté les plus grands honneurs : onze médailles aux Jeux paralympiques, dont quatre d'or ! Il lui reste encore un rêve à réaliser : voir son sport devenir une discipline officielle des Jeux olympiques. La médaille d'or qu'elle a remportée aux Jeux du Commonwealth de 2002 dans l'épreuve du 800 m en fauteuil roulant l'a sans doute rapproché de son rêve. Pour la première fois dans l'histoire, les médailles des athlètes handicapés comptaient dans le total des médailles remportées par leurs pays respectifs.

Jeux de cours d'école

Pas besoin d'aller loin pour trouver des endroits où on peut bouger.

La cour de l'école, par exemple, est un bon endroit pour libérer le trop-plein d'énergie pendant les récréations.

Donjons et dragons

But du jeu

Les dragons doivent éliminer les chevaliers à l'aide d'un ballon. Le chevalier ou la chevalière qui survit gagne la partie.

Nombre de joueurs

4 dragons et 12 chevaliers (minimum).

Groupe d'âge

11 - 12 ans

Matériel

Quatre dossards identifiant les dragons
Huit cônes
Deux ballons mousse

Déroulement du jeu

Diviser le terrain en quatre parties égales à l'aide de lignes imaginaires. Chaque dragon possède un donjon équivalant à un quart du terrain. Il y a donc quatre dragons possédant chacun son donjon. Les dragons se déplacent dans leur donjon d'où ils ne peuvent sortir. Le jeu commence au coup de sifflet de l'arbitre. Les chevaliers circulent d'un donjon à l'autre afin de ne pas se faire toucher par les dragons. Pour en sortir, ils doivent obligatoirement passer par les portes formées par les cônes. Les dragons essaient de les toucher avec le ballon. Attention, il est interdit de lancer le ballon sur les chevaliers ! Les dragons doivent s'approcher d'eux et les toucher avec le ballon qu'ils ont en main. Toutefois, les dragons peuvent se lancer le ballon entre eux car il n'y a que deux ballons pour les quatre dragons. Le chevalier ou la chevalière qui se fait toucher par un dragon doit se retirer du jeu.

Donjons-Dragons, décrit par la classe de 4e/6e année de Nancy Prévéreault, 2001, École Henri-Bachand, Saint-Liboire, Québec.

Au jeu !

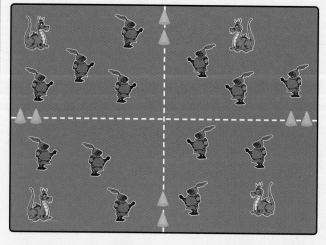

 cônes   chevaliers   dragons

Chacun son rôle

Formulation du but

1 En équipe, précisez le but de votre projet. Assurez-vous de respecter l'orientation du dossier : inciter les autres à bouger et à s'intéresser à une activité physique.

2 Transcrivez votre but dans la section CHACUN SON RÔLE de votre contrat de projet.

3 De quoi avez-vous besoin pour réaliser ce projet ? Précisez l'information que vous devez chercher.

Recherche, collecte et choix de l'information

4 Dans votre contrat de projet, indiquez les sources à consulter. Au besoin, vous pouvez demander de l'aide aux élèves de la classe qui pratiquent régulièrement le type d'activité physique dont vous parlerez.

5 Si vous connaissez bien certaines activités physiques, n'hésitez pas à aider les autres.

6 Que penses-tu de ton habileté à demander et à recevoir de l'aide ? Rends-toi au 2ᵉ BUT de la fiche 45.

STRATÉGIE
O C

Pour demander de l'aide, tu dois :

- préciser ce que tu cherches à savoir et noter les questions que tu veux poser ;

- participer à la recherche d'idées ou de solutions avec la personne qui t'aide.

STRATÉGIE
O

Pour aider les autres, tu dois :

- écouter les questions des autres ;

- donner des exemples, des explications ou des pistes de solution.

Mise en scène

Organisation de l'information et planification de la présentation

1 Communiquez l'information que vous avez recueillie à vos coéquipiers.

2 Imaginez une présentation dynamique et faites une répétition.

3 Remplissez la section MISE EN SCÈNE de votre contrat de projet.

4 Quels comportements as-tu adoptés pour soutenir tes partenaires ? Passe au 3e BUT de la fiche 45.

STRATÉGIE

o

Pour soutenir tes partenaires, tu dois :

- tenir le rôle qui t'a été attribué pour la présentation ;

- encourager tes partenaires de façon non verbale (sourire, regard, etc.) ;

- poursuivre leurs propos quand tu pressens un trou de mémoire ;

- faire des suggestions ou donner des conseils pour améliorer la présentation.

Le lever du rideau

Présentation de la production

1 Revoyez le déroulement de votre présentation. Remplissez la section LE LEVER DU RIDEAU de votre contrat de projet.

2 As-tu réussi à relever ton défi personnel ? Comment l'aide de tes partenaires a-t-elle contribué à le relever ? Termine ton circuit en te rendant au MARBRE de la fiche 45.

3 Note dans ton contrat de projet le défi que tu comptes relever dans le prochain projet.

Et maintenant, que tout le monde bouge !

En quête de solutions

PROBLÈME n. m. – Difficulté ou situation embarrassante qu'il faut essayer de résoudre.

Dictionnaire Fleurus junior 8/12 ans,
Éditions Fleurus, 2001.

Régulièrement, nous devons faire face à des situations qui nous posent des problèmes. Pour trouver des solutions, il faut, à la manière des grands détectives, voir plus loin que le bout de son nez, ne pas se fier aux apparences, prendre le temps de réfléchir et ne pas hésiter à reprendre son raisonnement si on s'est trompé.

Voici une invitation à aiguiser ton habileté à résoudre des problèmes.

ÉNIGME 1

Lire un récit en formulant des hypothèses pour résoudre une énigme. **L** **A**

Faire le portrait moral du personnage principal et de son allié ou alliée. **L** **A**

ÉNIGME 2

Créer des personnages. **É**

Écrire un court récit policier. **É**

ÉNIGME 1

CONNAISSANCE
L É

L'auteur ou l'auteure raconte son histoire par l'intermédiaire d'un narrateur, d'une narratrice.

Il peut s'agir :

- d'un personnage du récit ; dans ce cas, l'histoire est racontée à la première personne (*je*) ;

- d'un personnage extérieur au récit ; dans ce cas, l'histoire est racontée à la troisième personne (*il*).

S'il y a des personnes qui font preuve d'ingéniosité dans la résolution de problèmes, ce sont bien les détectives. Dans le **roman policier** que tu liras, le jeune détective Jean Quête et son fidèle allié Snif mettent tout en œuvre pour élucider une disparition bien mystérieuse. Suis leur enquête à la loupe !

1. Fais la connaissance de Jean Quête et Snif aux pages 135 à 139. Chaque fois que tu vois ce symbole 🔍, interromps ta lecture pour faire des prédictions sur l'histoire.

   a) Note tes hypothèses dans ton carnet de lecture.

   b) Justifie-les au moyen d'indices tirés du texte.

2. Que t'a apporté la formulation d'hypothèses au cours de ta lecture ?

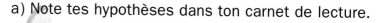

3. Résume les moments forts de l'enquête sur la fiche 46.

4. Selon toi, Jean Quête est-il un fin limier ? Et Snif, son allié, assiste-t-il bien son maître ? Sers-toi de la fiche 47 pour te faire une opinion éclairée.

5. Fais part de tes conclusions à la classe.

6. Qui est le **narrateur** dans le récit que tu viens de lire ? Qu'apporte au récit le fait que ce soit cette personne qui raconte l'histoire et pas une autre ?

*L*e chien de Charlie

Kevin Jones enquête sous le pseudonyme de Jean Quête. Accompagné de son fidèle allié Snif, le jeune détective est toujours prêt à mener toutes sortes d'enquêtes. À la suite de la mort du vieux Charlie, Jean Quête reçoit une visite inattendue.

Le portail du jardin s'ouvrit sur une petite silhouette qui se dirigea lentement vers nous la tête basse, en traînant les pieds. C'était le jeune Sam Young.

« S'lut, Sam. Qu'est-ce qui se passe ? »

Sam s'assit à côté de moi sur la marche.

« J'savais pas où aller, Jean Quête, marmonna-t-il, découragé.

— T'as perdu ta grenouille ? ton chat ? ton ballon de football ? »

C'est en général la disparition d'un animal de compagnie ou d'un objet cher qui amène les gens à contacter Jean Quête et Snif.

Sam secoua la tête.

« Non, c'est Charlie. »

Oh, oh ! Cela risquait d'être délicat. Comment expliquer à ce petit gars que même nous, Snif et moi-même, le plus grand duo de détectives privés en action, ne pouvions pas faire revenir le vieux Charlie ?

Charlie vivait dans une caravane du camping géré par le père et la mère de Sam. La famille Young avait plus ou moins adopté Charlie : c'était devenu une sorte de grand-père pour Sam.

ENQUÊTES EN TOUS GENRES
spécialiste de la recherche d'animaux
« Si je ne peux pas le trouver,
c'est qu'il n'est pas perdu ! »

TARIFS :
Chien perdu 5 $
Chat perdu 3 $
Petits animaux 2 $

Je posai ma main sur son épaule.

« Je sais qu'il va te manquer, mais Charlie était très vieux.

— Je sais, Jean Quête, et Maman m'a dit qu'il n'avait pas souffert ; mais j'ai promis à Charlie que, s'il lui arrivait quelque chose, je prendrais soin de Digger.

— Son chien ? Cela pose un problème ?

— Non ; le problème, c'est que je n'arrive pas à le retrouver. Il a dispa… dispa… Il est parti ! »

Ouf ! Quel soulagement ! Sam n'était pas venu me réclamer un miracle. Il voulait que je retrouve Digger. Je dois avouer que c'était beaucoup plus dans mes cordes.

« Tu as frappé à la bonne porte, Sam. Viens dans mon bureau. »

Snif nous suivit à l'intérieur de la cabane à outils qui me servait de bureau. Je lui montrai du doigt les étagères fixées au mur.

« C'est Charlie qui les a installées », appris-je à Sam.

Papa avait commandé ces étagères à Charlie pour pouvoir y ranger les pots de peinture. Mais un détective privé a besoin d'un endroit où ranger ses dossiers confidentiels, et les pots de peinture de Papa sont beaucoup mieux par terre où ils servent à l'occasion de sièges pour mes clients – justement, Sam était en train de s'asseoir sur l'un d'entre eux.

« Maintenant, Sam, dis-moi la dernière fois que tu as vu le chien de Charlie.

— Digger était devant la caravane de Charlie lundi matin. Quand je suis revenu de l'école, Maman m'a dit que Charlie avait eu une crise cardiaque et qu'il avait été emmené en ambulance à l'hôpital. »

Sam baissa la tête.

« Charlie est mort cette nuit-là.

— C'était il y a quatre jours, c'est ça ? »

Sam acquiesça.

« Tous les jours, je laisse de la nourriture pour lui dehors, mais il n'y a jamais touché. »

Il renifla et s'essuya le nez sur sa manche. Snif donna un coup de langue compatissant sur la main de Sam. Cette affaire le touchait particulièrement. Perdre une grenouille, un lapin ou un objet, c'était une chose, mais perdre « le meilleur ami de l'homme » en était une autre. […]

Nous avons passé plus d'une heure à fouiner et à poser des questions. Tout le monde connaissait le chien de Charlie mais personne ne l'avait vu dernièrement. Nous avons fini notre tournée dans le parc où Charlie avait l'habitude d'aller lire son journal quand il faisait beau.

« C'est un vrai mystère, bonhomme. Où peut bien être Digger ? »

Je me frottai le menton et fis une moue réprobatrice – une petite manie que j'avais attrapée à force de regarder Columbo à la télévision. J'ai hâte d'être en âge d'avoir de la barbe. Je suis persuadé que je penserai beaucoup mieux en tirant sur une barbe bien fournie.

« Tu es un chien, Snif », remarquai-je.

Il a parfois tendance à l'oublier.

« Que ferais-tu si je… je… venais à disparaître ? »

Je devais faire attention aux mots que je choisissais, parce qu'il suffisait que je tarde un peu sur le chemin de l'école pour que Snif se précipite à ma rencontre.

Il s'assit à côté de moi sur le banc et se mit à réfléchir.

Mon collègue canin et moi-même sommes tellement sur la même longueur d'onde que je peux presque lire dans son esprit.

«Oui, je me souviens de la fois où j'étais allé passer quelques jours chez tante Sal. Maman m'a raconté que tu as erré dans la gare jusqu'à mon retour. Et la fois où je suis allé dormir chez Danny et que tu n'étais pas invité, tu as hurlé à la lune sous la fenêtre de la chambre de Danny jusqu'à ce que son père lâche le chat sur toi.»

Un passant me voyant discuter avec mon chien aurait pu croire que j'étais devenu dingue, mais c'est comme ça que nous travaillons, Snif et moi. Et une fois de plus, mon intuition, mon extra-ordinaire intuition de détective me souffla que j'étais sur le point de découvrir quelque chose. Snif le sentait aussi. Une série d'éternuements me le confirma.

«Oui, oui, bonhomme! C'est ça! Quand je suis allé me faire opérer des amygdales, tu ne voulais pas quitter l'hôpital où j'étais! Et si j'ai raison – et en général c'est le cas –, c'est là-bas que nous allons retrouver le chien de Charlie.» [...]

« Si Digger est dans le coin, il est probablement près de l'entrée des urgences: c'est par là que Charlie est arrivé.»

Malgré une fouille approfondie autour des urgences, aucune trace de Digger.

«Ça m'ennuie de dire ça, Snif, mais cette affaire me déboussole complètement.»

Snif ne me répondit pas. Ni aboiement, ni éternuement, pas même un gémissement. Et pourquoi? Parce qu'il reniflait frénéti-quement les murs en brique d'un petit bâtiment dans un coin de la cour de l'hôpital. Je sifflai, mais il m'ignora et disparut à l'intérieur.

Je courus le rattraper et, de l'embrasure de la porte, je vis le chien de Charlie étendu sur un amas de vieux sacs et mon Snif éternuer triomphalement au-dessus de lui, l'arrosant copieuse-ment au passage.

«Cela fait des jours qu'il est là», dit une voix derrière moi.

C'était un des employés de la maintenance.

«Il refuse de manger ou boire. Pauvre clébard, il va falloir le piquer, j'en ai bien peur.»

Snif glapit et se planta devant Digger pour le protéger.

138

«Ne faites rien avant mon retour, le suppliai-je. Snif, reste avec Digger.»

J'ai battu le record du monde de vitesse. Au camping, Mme Young m'a donné la clef de la caravane de Charlie sans difficulté. J'ai trouvé ce que je cherchais, je l'ai pris et j'ai appelé Sam pour qu'il m'accompagne. Alors que nous courions dans la rue principale en direction de l'hôpital, les gens en train de faire leurs courses s'arrêtaient, abasourdis, pour nous regarder passer. L'employé de la maintenance, lui aussi, fut stupéfait quand il nous vit revenir. Dans une tentative désespérée pour sauver la vie de Digger, moi, Jean Quête grâce à mon extraordinaire intelligence, j'avais eu l'idée de me déguiser. Et cela fonctionna! Quand Digger a aperçu la chemise à carreaux en flanelle de Charlie, son vieux chapeau taché et ses bottes en caoutchouc pleines de boue et qu'il a senti l'odeur de son maître, il a lutté pour se redresser.

«Il faut juste que tu laisses Digger dormir sur la chemise et que tu laisses le chapeau et les bottes près de lui pendant quelque temps, conseillai-je à Sam en ramenant Digger au camping avec lui; et tout ira bien.»

«Eh bien, bonhomme, déclarai-je à Snif, encore une affaire qui finit bien, grâce aux efforts conjugués de Jean Quête et Snif, les meilleurs détectives privés sur le marché en ce moment. Le vieux Charlie peut maintenant reposer en paix puisque Digger est en sécurité.

Ouaf!

D'accord, d'accord, c'est toi qui as déniché Digger; mais c'est moi qui ai eu l'idée de m'habiller avec les vêtements de Charlie.»

Je lui donnai une tape affectueuse.

«Quelle importance, de toute façon? Nous sommes une seule et même équipe, non?»

Colleen Barton, *Jean Quête, détective privé*,
Coll. Le Livre de poche jeunesse © Hachette Livre.

À l'écoute des pros

Les experts te disent comment ils s'y prennent pour créer leurs personnages. Inspire-toi de leurs propos pour donner vie, à ton tour, à tes propres personnages.

Gilles Tibo a toujours plusieurs livres en chantier. S'il est à court d'idées pour l'un d'entre eux, il en reprend un autre qu'il avait laissé en plan. Et si son bureau ne l'inspire pas, il part écrire au parc ou à la bibliothèque.

Lorsque je commence à écrire, je n'ai pas de plan arrêté en tête. La seule chose qui doit être précisée dès le départ, c'est la personnalité des personnages principaux ainsi que la mise en situation. Je crois que le caractère bien typé des personnages est de première importance. L'histoire sera complètement différente si le héros ou l'héroïne est une personne timide, énergique, curieuse ou paresseuse.

Gilles Tibo

Dans tous mes romans, il y a un narrateur, ou une narratrice, qui raconte l'histoire. C'est le personnage principal, le héros ou l'héroïne, autour duquel se greffent les autres personnages. Ceux-ci peuvent être secondaires, mais ils sont tous indispensables à la cohérence de l'histoire. Souvent, mes personnages sont inspirés de personnes que je connais ou que j'ai connues. Je peux m'inspirer d'un trait physique ou moral, d'un timbre de voix, d'un tic, d'un geste, d'une mèche de cheveux. Il me semble que cela donne plus de crédibilité à mon personnage. Tout peut m'inspirer.

Michel Noël

Je crée mes personnages par petites touches, comme un peintre. Parfois, ils sont inspirés par des gens que je connais, mais jamais complètement. Et ils ne prennent vraiment vie qu'au moment où je les fais parler pour la première fois. C'est en disant leurs premiers mots qu'ils adoptent leur personnalité définitive.

Sylvie Desrosiers

ÉNIGME 2

À toi de jouer les détectives et de déjouer les apparences en rédigeant ton propre récit d'énigme. Propose un jeu à tes camarades de classe: découvrir l'énigme à partir des indices que tu auras semés dans ton texte.

1. Parmi les quatre énigmes qui te sont proposées ci-dessous, choisis celle qui servira de point de départ à ton récit.

Énigme 1

Tanguy est la victime d'un maître chanteur, qui lui ordonne d'accomplir toutes sortes de tâches. Si Tanguy désobéit, le maître chanteur révélera à tous qu'il dort avec son ourson en peluche. Tanguy vient te voir pour te soumettre son problème.

Énigme 2

Sybil garde une souris dans sa chambre et cela, sans l'autorisation de ses parents. Un jour qu'elle tenait la souris dans sa poche, celle-ci s'est enfuie dans la maison. Sybil vient te voir pour l'aider à retrouver sa souris avant ses parents.

Énigme 3

À ton école, on organise une fête pour l'Halloween. Tous les élèves sont méconnaissables sous leurs déguisements. Soudain, il se produit d'étranges événements. Des objets disparaissent: la perruque d'un clown, le chapeau d'une sorcière, etc. La directrice te demande de dénouer cette situation.

Énigme 4

Ta tante habite la campagne et cultive des laitues. Dernièrement, elle a constaté que ses laitues étaient toutes grignotées. Le ou la coupable a laissé des empreintes dans les allées du potager. Ta tante fait appel à toi pour débusquer le ou la responsable de ces méfaits.

2. Lis dans l'encadré suivant les éléments dont tu dois tenir compte pour écrire ton récit.

> • Te glisser dans la peau d'un ou d'une détective.
>
> • T'adjoindre un allié ou une alliée.
>
> • Imaginer une solution à une **intrigue**.
>
> • Semer des indices tout au long du récit.
>
> • Être le narrateur ou la narratrice de l'histoire.
>
> • Faire tenir ton récit sur deux pages.

INTRIGUE n. f. – L'ensemble des événements qui forment le sujet d'une histoire.

Dictionnaire Super Major – 9/12 ans
© Larousse-Bordas, 1997.

3. Envisage diverses solutions pour résoudre le problème soulevé dans l'énigme que tu as retenue. Choisis une solution qui n'aura pas de conséquences fâcheuses pour les victimes.

4. Conçois le déroulement de ton histoire et note les indices que tu pourrais dévoiler à tes lecteurs dans un tableau semblable à celui-ci.

Déroulement de l'histoire	Indices

5. Qu'est-ce qui t'a inspiré dans la situation de départ pour imaginer une solution ?

6. Maintenant, crée la **personnalité** de ton ou ta détective et de son aide sur la fiche **48**.

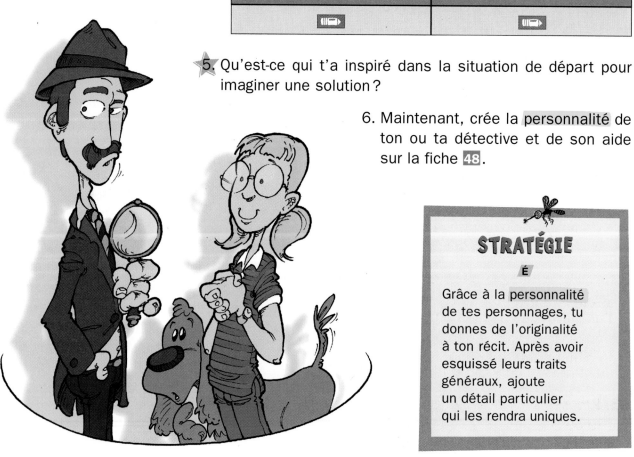

STRATÉGIE

É

Grâce à la **personnalité** de tes personnages, tu donnes de l'originalité à ton récit. Après avoir esquissé leurs traits généraux, ajoute un détail particulier qui les rendra uniques.

7. Organise ton récit à l'aide de la fiche **49**.

8. Comment les diverses ressources que tu as utilisées ont-elles facilité l'organisation de ton récit? Qu'est-ce qui t'a été le plus utile?

9. Soumets ton plan à un ou une camarade pour avoir ses suggestions.

10. Pour commencer ton récit, tu peux:

    • décrire la situation de départ;

    • écrire un dialogue pour plonger tes lecteurs dans l'action. **SYNTAXE** ▶ **p. 157** **p. 159**

11. Rédige ton brouillon.

12. Demande à un ou une camarade de lire ton texte et de le commenter. Corrige-le au besoin avec tes outils de référence. **ORTH. GRAMM.** ▶ **p. 68** **p. 71** **p. 163**

13. Écris ton texte au propre. Tu peux l'agrémenter d'un dessin représentant ton ou ta détective et son aide.

14. Comment le fait d'avoir organisé ton texte à partir de la fiche 49 t'a-t-il été utile au moment de la rédaction? Que pourrais-tu améliorer la prochaine fois?

15. Propose à un ou une camarade de lire ton récit. Lance-lui le défi de découvrir la solution de l'énigme avant la fin de sa lecture.

Pour voir tes textes d'un œil neuf, laisse-les de côté toute une nuit, si tu peux. Le lendemain, tu sauras mieux évaluer ce que tu dois améliorer.

Avoir une idée derrière la tête

Mathis trouve qu'il manque d'imagination et qu'il a rarement des idées quand vient le temps de s'exprimer en classe. Nous avons soumis sa lettre à Renaud, un jeune publicitaire dont le métier est justement de trouver des idées originales. Lis la lettre de Mathis et la réponse de Renaud.

Bonjour,

Dans ma classe, quand notre enseignante nous demande de faire part de nos idées, je suis souvent à court d'inspiration. Comme je crois que les idées des autres sont plus intéressantes que les miennes, je m'abstiens souvent de parler. Connaîtriez-vous des moyens pour développer mon imagination ?

Mathis

Cher Mathis,

Tu fais bien de demander conseil pour surmonter ta difficulté à exprimer tes idées. Voilà une idée originale ! Comme toi, plusieurs personnes n'osent pas dire ce qu'elles pensent et s'engager dans une réflexion créatrice.

Il faut que tu comprennes, Mathis, que la créativité n'est pas une qualité que l'on reçoit à la naissance. Tout le monde a des idées et a le potentiel de développer son esprit inventif. Un peu comme un sportif améliore ses performances en s'entraînant. Je t'envoie six exercices que tu peux faire seul ou avec des camarades. En plus d'être rigolos, ces petits jeux développeront ton imagination et ta pensée créatrice.

Amuse-toi bien,

Renaud Bellemare

Exercices rigolos

1 Trouve une définition aux mots suivants en fonction de ce que leur sonorité évoque pour toi :

a) kinkajou   c) zythum

b) ostrogoth   d) zwanze

2 Regarde bien ce dessin. Que vois-tu ? Un homme ? Une femme ? Une jeune fille ? Les trois ?

3 Complète les phrases suivantes.

a) Un éléphant, c'est comme…

b) La peur, c'est comme…

c) Une orange, c'est comme…

d) Le climat, c'est comme…

4 Cherche un maximum de ressemblances entre un ballon de basket et une chaise.

5 Trouve six phrases de quatre mots dont chacun commence par une des lettres suivantes.

Ex. : GVAM → Godzilla va au marché.

a) EESG c) VEEF e) JFLV

b) TEJD d) QJSN f) SFLB

6 Trouve un maximum d'utilisations inhabituelles pour les objets suivants.

a) une chaussure

b) un peigne

c) une brique

d) un sac d'école

---

1. Fais les exercices rigolos proposés par Renaud.

2. Participe à la mise en commun.

3. Trouves-tu que tu as eu de bonnes idées ? Penses-tu que tu pourrais en trouver davantage ?

EN PRIME

• Tu aimes ces petits jeux pour développer ta créativité ? Réclame la fiche **50**.

La santé s'affiche

AFFICHE n. f. – Grande feuille de papier portant des inscriptions, des dessins, des photos, etc. destinée à être placardée dans un lieu public.

Dictionnaire Super Major – 9/12 ans
© Larousse-Bordas, 1997.

Où trouver des affiches ?

• Sur les panneaux publicitaires

• Sur les murs de la ville

• À l'épicerie

• Sur les autobus

Pour promouvoir une idée, un produit, un événement, l'**affiche** constitue un excellent moyen de communication. Son but : capter l'attention, susciter l'intérêt et faire agir.

Que dirais-tu de te servir de ce moyen pour encourager les élèves de ton école à adopter de saines habitudes de vie ?

1. Examine tout d'abord les affiches (p. 147). Qu'est-ce qui retient ton attention ?

2. Trouve des idées pour ta propre affiche en analysant au cours des prochains jours une affiche que tu as vue. Écris sur la fiche **51** le slogan ou le texte de cette affiche et note tes réflexions.

3. Présente le résultat de ton analyse à tes camarades.

4. Qu'est-ce qui te séduit le plus dans une affiche ? L'image ? Le slogan ? Le texte ? La combinaison de ces éléments ?

5. Collectivement, faites aller vos méninges. Quel aspect de la santé ou de la sécurité serait-il intéressant de promouvoir auprès des élèves de votre école ? Faites une liste de sujets à aborder.

6. Choisis le sujet que tu aimerais traiter. Fais équipe avec un ou une camarade qui a choisi le même sujet que toi.

7. Concevez votre affiche.

8. Au moment convenu, placardez votre affiche dans un endroit stratégique de l'école.

Pas encore assez *mûr* **pour mettre le nez dehors ?**

◀ **Affiche 1**

La polysémie est la propriété d'un mot d'avoir plusieurs sens différents. Le double sens de *mûr* produit un effet comique.

Ultra protection = Mégaplaisir !

Affiche 2 ▲

L'hyperbole consiste à exprimer une idée de façon exagérée. Les préfixes (ex. : *ultra-*, *méga-*) amplifient la signification du nom.

Affiche 3 ▶

Pour faciliter la mémorisation ou créer un effet de surprise, on peut transformer un proverbe ou une citation connus.

La rime donne du rythme au message.

Pour avoir le genre branché, **rien ne sert de jeûner. Il suffit de bien déjeuner.**

Affiche 5 ▼

La création de mots-valises produit des effets humoristiques et de nouvelles associations d'idées.

Marchez à ciel ouvert !

◀ **Affiche 4**

En jouant avec les homophones, on crée des jeux de mots qui attirent l'attention.

Soyez vélobéissant !

Paroles en l'air

LA LISTE ORTHOGRAPHIQUE

Voici un jeu rigolo pour découvrir quelques-uns des mots à l'étude au numéro 8.

JOUER LE JEU

- But : lire des mots écrits dans le vide et les orthographier correctement

- Nombre de joueurs : trois ou quatre

- Durée approximative : 30 min

- Matériel : bouts de papier, crayons, fiche **52** (liste orthographique)

1. Tirez au sort l'élève qui commencera la partie.

2. Celui-ci ou celle-ci choisit un mot de la liste orthographique, l'observe attentivement, puis l'écrit dans le vide à l'aide de son index en faisant dos aux participants.

3. Les joueurs transcrivent sur un bout de papier le mot qu'ils croient avoir lu.

4. Ils le remettent à l'élève qui a écrit le mot.

5. Tous les joueurs qui ont correctement orthographié le mot marquent deux points. Dans le cas contraire, le mot est remis à l'élève qui l'a mal transcrit. Il ou elle peut alors corriger son erreur à l'aide de sa liste orthographique et ainsi marquer un point.

6. Le jeu se poursuit à tour de rôle jusqu'à ce que tous les joueurs aient eu l'occasion d'écrire quatre mots dans le vide. Puis on compte les points.

Par ses propres moyens

LES STRATÉGIES DE MÉMORISATION

De mémoire, quelles sont tes meilleures stratégies pour retenir l'orthographe des mots de ta liste ?

1. Écris sur une feuille les mots que ton enseignant ou ton enseignante te dictera.

2. Mets un **?** à côté des mots dont tu n'es pas sûr ou sûre et indique ce dont tu doutes : présence d'un accent, position d'une lettre, consonne simple ou double, etc.

3. Compare tes réponses avec celles de deux autres élèves.

   a) As-tu buté sur les mêmes mots que tes camarades ? Comment expliques-tu cela ?

   b) Si tes camarades ont mis un **?** à côté d'un mot dont tu connais l'orthographe, épelle-leur ce mot.

4. Participe à la correction collective.

5. Comment t'y prendras-tu pour mémoriser ces mots ?

STRATÉGIE

É

Tu doutes de l'orthographe d'un mot ? Voilà une occasion en or de consulter tes ouvrages de référence.

EN PRIME

• Réclame vite la fiche **53** : elle contient les mots croisés du numéro 8.

SECTION GRAMMATICALE

LES STRATÉGIES DE MÉMORISATION

Voici différents trucs de pro pour retenir l'orthographe des mots.

- Examiner le mot sous toutes ses coutures : ordre des lettres, présence d'accents, de trémas, de traits d'union, etc.

  Ex. : *Il y a un accent circonflexe sur le* u *de* brûler.

- Repérer la manière d'écrire un son.

  Ex. : *Le* [ã] *de* ampoule *s'écrit* am.

- Comparer la forme écrite d'un mot et sa forme orale.

  Ex. : *Le* e *de* asseoir *n'est pas prononcé*.

- Découper le mot en syllabes.

  Ex. : *ex-tra-or-di-nai-re-ment*

- Associer le mot à sa famille.

  Ex. : *Le* d *muet de* hasard *est prononcé dans* hasar**d**eux.

  Le e *muet de* couteau *est prononcé dans* cout**e**llerie.

- Décomposer le mot pour y repérer des préfixes, des suffixes, des éléments savants ou d'autres mots.

  Ex. : *Déshabiller = préfixe* dés- + *habiller*

  Bonshommes = bons + hommes

- Associer le mot à d'autres mots présentant les mêmes caractéristiques.

  Ex. : *Le son* [tʀis] *à la fin d'un mot (*ac**trice**, conduc**trice**, *etc.) s'écrit* -trice.

- Replacer le mot dans un contexte ou lui accoler un synonyme.

  Ex. : Plutôt *signifie de préférence* alors que *plus tôt* signifie *avant*

  Ci *comme dans* celui-ci *ou* si *comme dans* si j'avais.

Tous les mots ne s'apprennent pas de la même façon. À toi de découvrir les moyens qui te conviennent, quitte à en inventer !

SYNTAXE

Groupez-vous!

LE GROUPE DU VERBE

Qui dit nom dit groupe du nom. Et qui dit verbe dit quoi? Groupe du verbe, bien sûr!

1. Observe le groupe du verbe (GV) dans les phrases suivantes.

- La pratique d'un sport constitue une belle distraction.

- Je nage toutes les semaines.

- Le sport est excellent pour les petits comme pour les grands.

- Le mot *sport* vient de l'ancien français.

- À l'origine, ce mot signifiait «amusement».

- Ma sœur aînée s'entraîne régulièrement.

À partir de tes observations et des données de *Retenir sa langue* (p. 154), réponds aux questions qui suivent.

a) Quel est le noyau du GV?

b) Que peut contenir le GV?

c) Quelle fonction le GV exerce-t-il dans une phrase?

d) Qu'est-ce qui explique l'accord du verbe dans le GV?

2. Forme des phrases en ajoutant un GV de ton choix à chacun des groupes du nom (GN) de l'encadré.

GN	GV
Ex.: *Les élèves du troisième cycle*	*préparent des olympiades.*
a) Le soccer	
b) Les sports d'équipe	
c) Mon sport préféré	
d) Les exploits de Chantal Petitclerc	
e) La course à pied	
f) Les sportifs de salon	

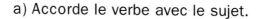

a) Accorde le verbe avec le sujet.

b) Quelle fonction exerce le GN dans les phrases que tu as formées ? Et le GV ?

3. Complète chaque groupe du verbe de façon à obtenir une phrase correctement structurée.

Ex.: Le gardien de but a fait ▱ .

Le gardien de but a fait un arrêt remarquable .

a) La plongeuse a réussi ▱ .

b) L'équipe de natation entreprend ▱ .

c) Je m'entraîne ▱ .

d) Mes parents pratiquent ▱ .

e) Les spectateurs surveillent ▱ .

f) Tu as marqué ▱ .

g) Nous effectuerons ▱ .

h) Vous organisez ▱ .

i) Notre professeur nous a proposé ▱ .

j) Ces exercices sont ▱ .

4. Voici une série de verbes conjugués.

aimait	constituera	s'entraîne
avez exécuté	félicite	joueraient
as mérité	participons	sont

a) Compose une phrase avec chacun d'eux.

b) Surligne le sujet en bleu, le prédicat (GV) en jaune et, s'il y a lieu, le complément de phrase en rose.

c) Si le sujet est un GN, souligne le noyau du GN.

d) Vérifie l'accord du verbe.

Ex.: *Selon moi, les <u>élèves</u> de la classe d'Hélène gagn**eront** la partie.*

5. Vérifie tes connaissances sur le groupe du verbe en répondant aux questions suivantes. Au besoin, consulte les données de *Retenir sa langue* (p. 154).

Qui suis-je ?

a) Je suis la fonction exercée par le GV.

b) Je suis le noyau du GV.

c) Je suis celui qui dicte l'accord du verbe.

d) Je suis rarement seul dans le GV.

e) Je suis le noyau du GV dans la phrase suivante : « Mon amie Gabrielle nage très bien le crawl. »

f) Je suis le GV dans la phrase suivante : « Mon père va à la piscine deux fois par semaine. »

g) Je m'accorde avec le noyau du groupe du nom quand il est sujet.

EN PRIME

• Comment donner une autre forme à un proverbe ? En changeant le groupe du verbe. Amuse-toi à créer de nouveaux proverbes dans la fiche **54**.

Je suis très bon dans les « Qui suis-je ? ». Et toi ?

LE GROUPE DU VERBE

Chaque fois qu'il y a un verbe conjugué dans une phrase, il y a un groupe du verbe.

1 Le groupe du verbe (GV) exerce toujours la fonction de prédicat dans une phrase.

Ex.: *Selon ma mère la natation est le sport le plus complet.*

2 Le verbe est le **noyau** du groupe du verbe (GV).

Ex.: *La médecine* $\boxed{\overset{\text{GV}}{\text{s'intéresse aux personnes actives}}}$.

3 Dans le GV:

• le verbe est le plus souvent complété par d'autres éléments;

Ex.: *La médecine sportive* $\boxed{\overset{\overset{\text{GV}}{\text{V}}}{\textit{constitue une spécialité de la médecine}}}$.

Les vélos de course d'aujourd'hui $\boxed{\overset{\overset{\text{GV}}{\text{V}}}{\textit{sont ultralégers}}}$.

Ces athlètes $\boxed{\overset{\overset{\text{GV}}{\text{V}}}{\textit{récupèrent vite}}}$.

• le verbe est parfois employé seul.

Ex.: *Je* $\boxed{\overset{\overset{\text{GV}}{\text{V}}}{\textit{cours}}}$.

4 C'est le sujet de la phrase qui donne au verbe sa personne et son nombre.

Ex.: *Le sport apporte beaucoup de plaisir.*

5 Quand le sujet est un GN, le verbe s'accorde avec le noyau de ce groupe.

Ex.: $\boxed{\overset{\overset{\text{GN}}{\text{N}}}{\textit{Le manque d'exercice}}}$ $\boxed{\overset{\overset{\text{GV}}{\text{V}}}{\textit{expliquerait l'augmentation de l'obésité}}}$.

Être ou ne pas être

L'ATTRIBUT DU SUJET

Pour mettre un sujet en valeur, fais appel à l'attribut.

1. Décompose les phrases de l'encadré dans un tableau semblable à celui-ci.

Sujet	Prédicat

Cette détective est astucieuse.
Son sens de la déduction est phénoménal.
Ses enquêtes sont célèbres.
Sa manie de tout noter est connue.

a) Souligne le noyau du groupe du verbe (GV) dans chaque phrase.

b) Qu'est-ce que les éléments qui complètent le verbe ont en commun?

c) Qu'apportent-ils au sujet de la phrase?

d) Comment expliques-tu l'accord de l'adjectif dans chacune des phrases? ORTH. GRAMM. ▶ p. 163

e) Récris chaque phrase en remplaçant le verbe *être* par le verbe *paraître*. Que remarques-tu?

2. Décris une personne, un animal ou une chose de ton choix à l'aide de cinq phrases formées sur le modèle suivant.

SUJET	PRÉDICAT	
	GV	
GN	verbe *être* ou du même type	adjectif
Ex.: Mon chat Charlot	a l'air	fatigué.
Ex.: Ses moustaches	sont	blanches.

RETENIR SA LANGUE

L'ATTRIBUT DU SUJET

Dans le groupe du verbe, le verbe est le plus souvent complété par d'autres éléments, dont l'attribut du sujet.

1 L'attribut apporte une précision au sujet.

2 L'**attribut du sujet** complète le verbe *être* ou un verbe du même type (*devenir, paraître, sembler*).

Ex.: *Cette enquête* GV ⌈est **réussie**⌉.

Cette détective ⌈semble **satisfaite**⌉.

3 L'attribut du sujet est une fonction souvent exercée par un adjectif. Cet adjectif peut être accompagné d'autres mots.

Ex.: *Cette enquête* GV ⌈est totalement réussie⌉.

Cette détective ⌈semble satisfaite de son coup⌉.

4 L'adjectif attribut du sujet s'accorde en genre et en nombre avec le sujet.

Ex.: Ces jeunes détectives sont perspicace**s**. Adj.

Elles paraissent dou**ées**. Adj.

Établir le dialogue

LES MARQUES DU DIALOGUE

— Qui peut décrire les marques du dialogue ? demande notre enseignante.

— Moi, dis-je.

— Vas-y. Nous t'écoutons.

1. Fais ressortir la manière de noter les dialogues dans un récit à l'aide de la fiche **55**.

 2. Comment procéderas-tu pour réviser la ponctuation des dialogues dans tes textes ?

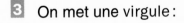

RETENIR SA LANGUE

LES MARQUES DU DIALOGUE

1 On emploie le tiret pour rapporter un dialogue.

2 Dans un texte, on signale chaque changement d'interlocuteur ou d'interlocutrice en allant à la ligne suivante et en utilisant le tiret.

Ex. : — *Quel est le comble pour une personne très ordonnée ?*

    — *Je l'ignore.*

    — *Ne pas trouver le sommeil.*

3 On met une virgule :

• avant l'incise (ex. : *dit-elle*), sauf si le dialogue qui précède se termine par un point d'interrogation, un point d'exclamation ou des points de suspension.

Ex. : — *Pourquoi les puces connaissent-elles si bien les chats ? demande ma mère.*

    — *Je n'en ai aucune idée, dis-je.*

    — *Parce qu'elles savent se mettre dans leur peau.*

• après l'incise si le dialogue se poursuit.

Ex. : — *Maman, fis-je, raconte-moi d'autres blagues.*

Ouvrez les guillemets

LES GUILLEMETS

Quand on voit le premier, le second n'est pas bien loin. C'est que les guillemets sortent toujours en paire.

1. À partir des exemples suivants, formule les principales règles d'emploi des guillemets.

    a) «Bonjour! Puis-je parler à Maude?
        — Un instant, je vous la passe.
        — Merci.»

    b) Le mot «brainstorming» est un anglicisme. Le mot correct est remue-méninges.

    c) Cette robe fait «cheap»!

    d) Le cycliste s'est écrié: «J'ai gagné!»

    e) Le proverbe «La nuit tous les chats sont gris» signifie qu'on peut facilement confondre les personnes ou les choses dans l'obscurité.

2. Exerce-toi à employer à bon escient les guillemets, les tirets et les deux-points à l'aide de la fiche 56.

3. Compare tes réponses avec celles d'un ou d'une autre élève. Si vos réponses diffèrent, consultez les données de *Retenir sa langue* (p. 159).

4. Dans quels cas y a-t-il plus d'une réponse possible?

LES GUILLEMETS

1 Les guillemets sont des signes, en forme de chevrons, qui s'emploient toujours par paire. On appelle le premier («) *guillemet ouvrant* et le second (») *guillemet fermant*.

2 On se sert des guillemets pour :

- indiquer le début et la fin d'un dialogue ;

  Ex. : *« Garçon, apportez-moi un steak qui gazouille.*

  — Quoi ? Que voulez-vous ? dit le serveur.

  — Je veux un steak cuit, cuit, cuit. »

On signale le changement d'interlocuteur ou d'interlocutrice par un tiret.

Pour rapporter un dialogue, tu as le choix d'employer uniquement des tirets ou de combiner les guillemets et les tirets.

- citer les paroles de quelqu'un ;

  Ex. : *Du haut de son 1 m 40, Myriam dit : « Plus tard, je serai une grande détective. »*

  – On marque le début des paroles rapportées par les deux-points suivis d'un guillemet ouvrant.

  – On met une majuscule au premier mot rapporté.

  – On met un point avant le guillemet fermant.

- mettre en valeur un mot ou une expression ;

  Ex. : *Le mot « guillemet » viendrait du nom de son inventeur, un imprimeur appelé Guillaume.*

On recourt aussi à l'italique pour faire ressortir un mot ou une expression.

- indiquer un emploi douteux, un écart de langue.

  Ex. : *Il se prend pour une « star ».*

SECTION GRAMMATICALE

VOCABULAIRE

Tisser des liens

LES RELATIONS DE SENS ENTRE LES MOTS

Les mots sont comme les humains : il aiment bien se définir les uns par rapport aux autres.

1. Comment appelle-t-on deux mots de sens semblable ? de sens contraire ?

2. Amuse-toi à retravailler les notions de synonyme et d'antonyme à partir de la fiche **57**.

3. Comment l'utilisation de synonymes et d'antonymes peut-elle t'aider à améliorer tes textes ?

4. Comment définirais-tu la relation de sens entre les couples de mots suivants ?

a) *couleur* et *bleu*	b) *animal* et *chat*	c) *sport* et *natation*

5. Pour te familiariser avec la notion de mot générique, lis la rubrique *Retenir sa langue* (p. 161), puis fais les activités de la fiche **58**.

6. Comment l'utilisation de mots génériques peut-elle t'aider à être plus précis ou précise dans tes textes ?

LES MOTS GÉNÉRIQUES

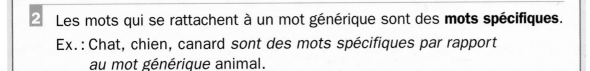

1 Un **mot générique** est un mot de sens général qui :

- sert à désigner une catégorie d'êtres ou de choses ;

  Ex. : Couleur *est le mot générique de* bleu, blanc, rouge.

    Bijou *est le mot générique de* collier, bague, bracelet.

- inclut le sens d'autres mots.

2 Les mots qui se rattachent à un mot générique sont des **mots spécifiques**.

  Ex. : Chat, chien, canard *sont des mots spécifiques par rapport au mot générique* animal.

3 La relation de sens qui unit deux mots détermine le caractère générique ou spécifique d'un mot.

  Ex. : Siège *est un mot générique par rapport à* fauteuil.

    Siège *est un mot spécifique par rapport à* meuble.

4 Dans un texte, le recours à un mot générique permet :

- d'éclairer le sens de mots rares ou techniques ;

  Ex. : *Pluvian* → *Le* **pluvian** *est un* **oiseau** *d'Afrique tropicale.*

- d'éviter les répétitions tout en assurant une continuité d'une phrase à l'autre.

  Ex. : *Pourquoi surnomme-t-on le* pluvian *l'ami du* crocodile ? *Parce que ce* volatile *mange directement dans la gueule du* reptile.

> Établir un lien entre un mot générique et des mots spécifiques, c'est amorcer un début de classification.

D'un commun accord

L'ACCORD DE L'ADJECTIF

Adjectif cherche avec qui s'accorder.

1. Exerce ton habileté à accorder les adjectifs compléments du nom grâce à la fiche 59.

2. Imagine que tu viens de faire une grande découverte. Tu as découvert une nouvelle espèce d'animal, un nouveau remède contre une maladie incurable ou encore un appareil révolutionnaire qui simplifie la vie des gens.

   a) Partage ta découverte avec les autres en la décrivant minutieusement. Donne des détails sur son aspect, son utilité, ses propriétés, etc.

   b) Relis ton texte et surligne tous les adjectifs.

   c) Utilise le plus d'adjectifs possible pour donner des précisions.

   d) Trouve le nom ou le pronom auquel se rapporte chaque adjectif. Vérifie si celui-ci est correctement accordé.

   e) Échange ton texte avec celui d'un ou d'une autre élève. Révisez le texte de l'autre et suggérez-lui des corrections.

   f) Présente ta découverte à la classe. Si tu le veux, accompagne-la d'un dessin.

3. Comment procèdes-tu pour reconnaître un adjectif? Pour repérer le nom ou le pronom auquel il se rapporte?

EN PRIME

• Pour consolider tes connaissances sur l'adjectif, demande la fiche 60.

SECTION GRAMMATICALE

L'ACCORD DE L'ADJECTIF

Le genre et le nombre d'un adjectif dépendent toujours du nom ou du pronom auquel il se rapporte.

1 L'adjectif qui exerce la fonction de **complément du nom** reçoit le genre et le nombre de ce nom.

Ex.: *Les détectives ont de **curieuses** manies.*

2 L'adjectif qui exerce la fonction d'**attribut du sujet** reçoit le genre et le nombre :

- du noyau du groupe du nom (GN) sujet ;

Ex.: *Ces détectives de renom sont fort **perspicaces**.*

- du pronom sujet.

Ex.: *Ils sont **rusés**.*

> Dès que tu emploies un adjectif, trouve le nom ou le pronom avec lequel cet adjectif est en relation. Donne-lui les marques de genre et de nombre appropriées.

NOM

ADJECTIF

SECTION GRAMMATICALE

Coup d'œil sur le passé

L'ACCORD DU PARTICIPE PASSÉ EMPLOYÉ AVEC L'AUXILIAIRE *ÊTRE*

Au menu du jour : le participe passé.

1. Pour découvrir les règles d'accord du participe passé employé avec l'auxiliaire *être*, fais l'activité de la fiche **61**.

2. Qu'est-ce que le participe passé employé avec l'auxiliaire *être* a en commun avec l'adjectif qui exerce la fonction d'attribut du sujet ?

RETENIR SA LANGUE

L'ACCORD DU PARTICIPE PASSÉ EMPLOYÉ AVEC L'AUXILIAIRE *ÊTRE*

1 Le **participe passé** est la forme que prend le verbe après l'auxiliaire *avoir* ou *être*.

Ex. : *J'ai **aimé** ton livre.*

*Elles seront **rentrées** quand tu arriveras.*

2 Le participe passé s'emploie avec *avoir* ou *être* pour former un verbe à un temps composé.

Temps composés	Formation		Exemples
passé composé	verbe *avoir* ou *être* à l'indicatif présent		*j'ai **aimé** je suis **arrivé** ou **arrivée***
plus-que-parfait	verbe *avoir* ou *être* à l'imparfait	+ participe passé	*tu avais **commencé** elle était **venue***
futur antérieur	verbe *avoir* ou *être* au futur simple		*il aura **dirigé** nous serons **partis** ou **parties***
conditionnel passé	verbe *avoir* ou *être* au conditionnel présent		*vous auriez **dit** elles seraient **tombées***

3 Le participe passé employé avec *être* s'accorde en genre et en nombre avec le sujet .

Ex. : *Mes parents sont venu**s** me chercher à l'école aujourd'hui.*

Beau temps, mauvais temps

LES VERBES AUX TEMPS SIMPLES

Avec un peu d'organisation, mémoriser les terminaisons des verbes aux temps simples est simple, très simple.

1. Tu disposes de cinq minutes pour indiquer le temps de conjugaison de tous les verbes suivants. Note tes réponses sur une feuille.

    a) tu compteras

    b) je m'entraînais

    c) ils vont

    d) elles seraient

    e) nous aurions

    f) que j'aille

    g) elles finirent

    h) vous accomplissiez

    i) tu brûles

    j) elles correspondront

    k) nous faisions

    l) elle étend

    m) va

    n) elle organisa

    o) j'aime

2. Comment as-tu procédé pour trouver rapidement le temps de conjugaison?

3. Pour préparer un tableau récapitulatif des terminaisons des verbes étudiés jusqu'ici, joins-toi à trois élèves.

    a) Ensemble, répartissez-vous les tableaux de la fiche 62 de la manière suivante:

    Élève n° 1 ➤ indicatif présent

    Élève n° 2 ➤ imparfait et passé simple

    Élève n° 3 ➤ futur simple et conditionnel présent

    Élève n° 4 ➤ subjonctif présent, impératif présent et participe présent

    b) Remplis de mémoire les cases vides de tes tableaux. Fais précéder d'un point d'interrogation **?** les réponses dont tu doutes.

    c) Forme une équipe d'experts avec des élèves qui ont effectué la même tâche que toi. Compare tes réponses aux leurs. Assure-toi de régler les cas douteux.

d) Retourne dans ton équipe d'origine. Présente tes réponses à tes camarades et prends note des leurs.

e) Comment le fait de mettre en commun tes réponses et celles d'autres élèves t'a-t-il permis de réaliser plus efficacement la tâche ?

f) Pense à consulter ces tableaux quand tu rédiges tes textes.

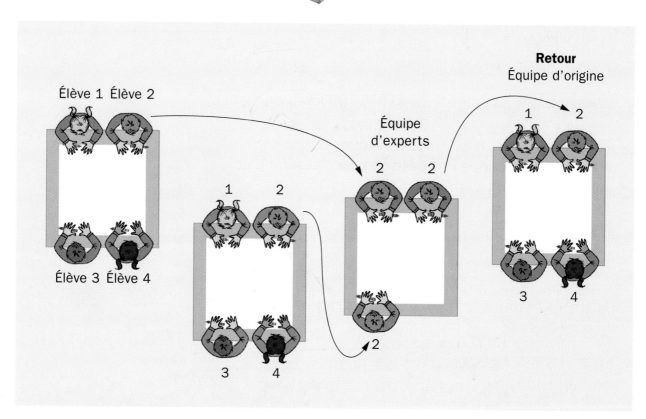

4. Histoire de vérifier tes connaissances, réponds par vrai ou faux aux énoncés du jeu-questionnaire. Reformule ceux qui sont faux.

Vrai ou faux ?

a) Tous les verbes ont les mêmes terminaisons au futur simple.

b) À l'indicatif présent, les verbes du type *rendre* ont les mêmes terminaisons que les verbes du type *finir*.

c) Tous les verbes ont les mêmes terminaisons à l'imparfait.

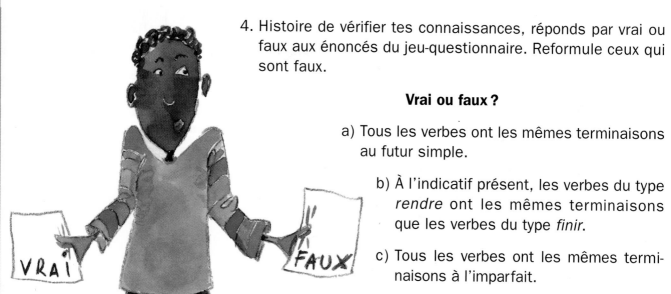

d) Les verbes en *-er* ont les mêmes terminaisons à l'indicatif présent et au subjonctif présent.

e) Au subjonctif présent, la majorité des verbes ont les mêmes terminaisons.

f) Les verbes du type *finir* et les verbes du type *rendre* ont les mêmes terminaisons au futur simple et au conditionnel présent.

g) La majorité des verbes ont les mêmes terminaisons à la première et la deuxième personne du pluriel de l'imparfait et du subjonctif présent.

5. Amuse-toi à faire trois versions de ce poème de Blaise Cendrars en changeant chaque fois tous les verbes conjugués et en variant, d'une version à l'autre, le temps employé. Utilise tes tableaux de conjugaison pour t'assurer d'écrire les verbes correctement.

Je ris
Je ris
Tu ris
Nous rions
Plus rien ne compte
Sauf ce rire que nous aimons
Il faut savoir être bête et content.

Blaise Cendrars, *Au cœur du monde*
© Éditions Denoël, Paris.

6. Comment as-tu fait pour repérer les verbes conjugués ?

Mener l'enquête

LA DICTÉE EN COOPÉRATION

Cherchons une équipe du tonnerre pour enquêter sur les mots.

1. Pour faire la dictée en coopération, adjoins-toi deux détectives. Prenez connaissance de votre enquête sur la fiche 63. Au besoin, revoyez les procédures (fiche 29).

2. Comment as-tu procédé pour accorder correctement les adjectifs, les verbes ?

Le souper de la marmotte

SUPPLÉMENT

TEXTES ADDITIONNELS ET ACTIVITÉS DE LECTURE AU CHOIX

La métamorphose d'Helen Keller

Helen Keller est née en 1880. Vers l'âge de 2 ans, elle est victime d'une maladie qui la laisse sourde, muette et aveugle. En grandissant, elle s'enferme dans la solitude. En 1887, l'arrivée d'Annie Sullivan transforme la vie d'Helen. Grâce à l'assistance de cette institutrice, Helen apprend à écrire et à lire le braille. À force de ténacité et de patience, elle apprend aussi à parler. Retrouve-la chez elle alors qu'elle a à peu près ton âge.

Helen et Maîtresse passaient les soirées au coin du feu, à faire rôtir des pommes ou griller du pop-corn, ou à jouer tranquillement. Il leur arrivait de jouer aux cartes, avec, pour Helen, des cartes spéciales, évidemment, dont chacune portait un motif différent de points en relief, ce qui lui permettait de la reconnaître. Ou bien elles jouaient aux dames : les pions noirs étaient plats, les pions blancs étaient bombés.

Les soirées les plus agréables étaient celles où des amis venaient les voir. Maîtresse écrivait dans la main d'Helen tout ce qui se disait, mais il arrivait quelquefois que la conversation l'absorbe tellement qu'elle oubliait de la transcrire. Dans ces cas-là, Helen donnait de la voix en demandant bruyamment : « Qu'est-ce qui se passe ? » car elle détestait être tenue à l'écart de quoi que ce soit.

Mais Helen avait de moins en moins de temps à consacrer aux promenades dans la neige et aux paisibles soirées devant la cheminée. Maintenant, elle avait un nouveau but dans l'existence. Un beau jour, alors qu'elle avait douze ans, elle décréta :

— Je veux aller au collège quand je serai grande. Et le collège où je veux m'inscrire, c'est Harvard.

Maîtresse fut tentée de refuser. Au collège, Helen serait confrontée à des étudiants capables de lire leurs manuels et d'écouter les cours de leurs professeurs. Helen était très, très intelligente, mais comment pourrait-elle y parvenir malgré ses talents ?

Par ailleurs, Maîtresse estima qu'Helen avait le droit de tenter sa chance. Aussi sa seule objection fut-elle : « Pas Harvard, Helen. C'est un collège de garçons. »

Et elles se mirent au travail. Latin, grec, allemand, français, géographie, zoologie, histoire, biologie, mathématiques… Il y avait tant de choses à apprendre avant qu'Helen puisse seulement tenter d'entrer au collège.

Parfois, elle étudiait avec d'autres professeurs. Parfois, Maîtresse et elle restaient à la maison et travaillaient seules. Dans un cas comme dans l'autre, Helen consacrait chaque jour de nombreuses heures à l'étude. Six années laborieuses s'écoulèrent ainsi. Et, finalement, Helen fut prête.

C'est alors qu'elle fit une découverte bouleversante: si Helen Keller était prête pour le collège, le collège, lui, n'était pas prêt à recevoir Helen Keller.

Elle désirait entrer à Radcliffe, un collège de jeunes filles très réputé, mais le président de Radcliffe refusa, estimant qu'elle poserait trop de problèmes.

— Vous vous êtes donné beaucoup de mal, lui dit-il, mais vous ne serez sûrement pas capable de vous maintenir au niveau de nos étudiantes.

Helen fut furieuse d'être traitée de cette façon. Elle s'assit à sa table et rédigea une lettre.

— Vous devez au moins me laisser tenter ma chance, écrivit-elle au président de Radcliffe, car un véritable combattant n'admet la défaite qu'après la bataille.

Il faut croire que le caractère d'Helen impressionna le président de Radcliffe, car il changea d'avis. À l'automne 1900, Helen Keller fit son entrée au collège de Radcliffe.

Elle avait travaillé dur pour en arriver là. Elle travailla deux fois plus dur pour y rester. Pendant les classes, Maîtresse était en permanence assise à côté d'Helen et lui traduisait dans la main ce que disait le professeur. Mais il arrivait que ses doigts ne parviennent pas à suivre la parole du maître et, dans ces cas-là, Helen ratait une partie du cours.

Comme elle n'avait pas le temps de prendre des notes, elle devait tout savoir par cœur, et, quand elle répondait à une interrogation écrite, elle n'avait pas la possibilité de se relire; il fallait qu'elle fournisse du premier coup la réponse exacte à toutes les questions posées.

Et puis il y avait tellement de livres à lire! Helen absorba des ouvrages en braille ou en relief à s'en faire saigner le bout des doigts mais, la plupart des livres ne comportant pas d'édition spéciale pour aveugles, Maîtresse devait les lui lire.

Pauvre Maîtresse! Ses mauvais yeux devinrent de plus en plus rouges et douloureux et, comme elle n'avait plus jamais le temps de les reposer, elle en perdit presque la vue. Mais Maîtresse aussi était obstinée : elle se contenta donc de regarder les livres de plus près et continua à lire.

Ensemble, elles gagnèrent la bataille ! À l'automne 1904, Helen Keller fit partie d'un groupe de quatre-vingt-seize jeunes filles auxquelles on glissa un rouleau de papier dans la main. C'était un diplôme. Helen Keller était diplômée – avec mention – du collège de Radcliffe. Elle était la « sourde-aveugle » la plus instruite du monde.

LES ANNÉES ACTIVES

Helen avait eu beaucoup de chance, et elle en était pleinement consciente.

— Ma vie est très riche dans deux domaines, disait-elle. Les amis et les livres.

Mais qu'en était-il pour les autres sourds-aveugles, moins chanceux ? Helen apprit que beaucoup d'entre eux menaient une existence solitaire, sans famille et presque sans amis, la plupart étant trop pauvres pour faire des études.

Trop souvent, les aveugles n'apprenaient jamais à lire avec leurs mains et on n'apprenait pas non plus aux sourds à parler avec leur bouche. Leurs journées étaient longues et monotones.

— Et la vie n'est qu'une suite de journées, disait Helen Keller.

Helen avait maintenant vingt-quatre ans. Il lui restait beaucoup d'années à vivre, et elle tenait à en faire quelque chose d'utile. Elle décida qu'elle serait écrivain, qu'elle publierait des livres sur les aveugles et les sourds.

Mais elle ne tarda pas à s'apercevoir que la plupart des lecteurs désiraient seulement qu'elle parle d'elle-même. Apprendre à sauver de la cécité les yeux d'un enfant ou créer un nouveau type d'école pour les sourds ne les intéressait pas.

Elle continua à écrire, mais elle découvrit un autre moyen de se rendre utile : elle allait donner des conférences. Maîtresse et elle se rendraient de ville en ville, d'un bout à l'autre du pays, et feraient des conférences sur les difficultés des aveugles et des sourds.

Maîtresse montait la première sur l'estrade et parlait des premières années qu'elles avaient passées ensemble. Après quoi Helen, de sa voix rocailleuse, expliquait à l'assistance ce que c'est que d'être sourd et aveugle.

172

Sur les sourds, Helen Keller disait :

« Ils sont environnés de silence, un silence que ne rompt jamais un mot, ni une chanson, ni un souffle de brise. »

Des aveugles, qu'Helen considérait comme les êtres les plus solitaires du monde, elle disait :

« Ils regardent la nuit, et rien d'autre que la nuit ne leur retourne leur regard. »

Helen donnait également des conseils.

« Moi qui suis aveugle, je ne peux vous donner qu'un seul conseil, à vous qui voyez : servez-vous de vos yeux comme si vous deviez vous réveiller aveugles demain. Faites-en autant pour tous vos autres sens. Écoutez le chant d'un oiseau comme si c'était le dernier que vous entendiez avant de devenir sourds. Touchez tout ce qui vous entoure comme si, demain, vous ne pouviez plus rien toucher. Sentez les fleurs, savourez chaque bouchée de nourriture comme si vous alliez perdre à tout jamais l'odorat et le goût. » […]

Les années de travail s'écoulaient. Et, pendant ce temps-là, le professeur d'Helen Keller devenait une vieille dame. Un jour, celle-ci dit à Helen :

— Je suis désolée, ma chérie, mais je ne pourrai plus t'accompagner dans tes déplacements.

Puis Maîtresse tomba malade et dut passer le plus clair de son temps dans son lit.

— Il faut absolument vous rétablir, lui dit une de ses amies. Helen ne peut rien faire sans vous.

Maîtresse fronça les sourcils.

— Dans ce cas, j'aurai échoué, répondit-elle.

Elle avait consacré toute sa vie à faire d'Helen Keller quelqu'un d'indépendant, même vis-à-vis d'elle.

Annie Sullivan mourut le 19 octobre 1936. Au cours de son existence, Helen avait éprouvé d'autres chagrins, mais aucun qui fût comparable à celui-là. Ses pensées la ramenèrent à plus de cinquante ans en arrière, au jour où une toute jeune Annie était venue transformer une bête sauvage en petite fille.

« Ce fut le jour le plus important de ma vie, répétait souvent Helen. Celui de l'éclosion de mon âme… le jour de l'arrivée de mon professeur. »

Et maintenant, Maîtresse était morte !

« Tout un pan de mon cœur vient également de mourir », dit Helen.

Comment pourrait-elle continuer à vivre sans la présence de Maîtresse à ses côtés ?

Il restait pourtant tant de choses à faire. Avec l'assistance d'une femme admirable, nommée Polly Thomson, Helen poursuivit ses conférences. […]

Quand Helen n'était pas occupée par son travail, elle passait son temps à se distraire. Elle était toujours prête à visiter des endroits nouveaux et à tenter des expériences nouvelles.

«La vie est une aventure, disait Helen Keller, ou elle n'est rien.»

Elle voyagea dans la cabine d'une locomotive. Elle descendit au fond d'une mine de charbon. La tribu des Indiens Stony la sacra «sœur de sang». Elle monta même dans un petit avion à ciel ouvert et fut enthousiasmée.

«Nous chevauchons le vent?» s'exclama-t-elle.

Helen accomplit aussi, à pied, les plus rudes randonnées. Elle visita les grandes villes du monde et identifia certaines d'entre elles à leurs odeurs: le quartier italien de New York sentait l'ail, le salami et le fromage; Paris sentait le parfum et la poudre de riz, le vin et le tabac; Saint Louis sentait la bière.

Peu à peu, cependant, Helen Keller finit par vieillir et devint fragile. Elle dut cesser de voyager et se retira dans sa maison de Westport, dans le Connecticut. Ses journées étaient désormais paisibles, mais elle était toujours très occupée.

Elle se levait chaque matin avant cinq heures et commençait sa journée par se préparer un solide petit déjeuner. Après quoi elle partait faire un tour. Elle se dirigeait grâce aux fils de fer qui sillonnaient toute sa propriété.

«Je ne vois rien, je n'entends rien, mais je découvre des tas de choses qui m'intéressent», disait-elle.

Elle aimait caresser la peau lisse et argentée d'un bouleau ou l'écorce rugueuse d'un pin.

«Avec un peu de chance, disait-elle, il m'arrive de poser la main sur un buisson et de le sentir vibrer quand un oiseau se met à chanter dans ses branches.» […]

Elle vécut jusqu'à quatre-vingt-sept ans. Puis, le 1er juin 1968, Helen Keller s'enfonça dans le silence des ténèbres. Helen Keller est morte, mais son esprit continue à vivre. Comme elle le disait si souvent:

«On ne peut voir ni même toucher ce qu'il y a de meilleur et de plus beau dans le monde. Il faut le sentir avec son cœur.»

Margaret Davidson, *La métamorphose d'Helen Keller*, Éditions Gallimard Jeunesse (Coll. Folio Cadet), 1999.

EN PRIME

• Quel exemple de courage cette Helen Keller! Retrace les grandes réalisations de sa vie dans la fiche 64.

LE MARATHON DE L'ESPOIR

À 18 ans, Terry Fox doit interrompre ses études quand on diagnostique un cancer des os exigeant l'amputation de sa jambe droite. Durant sa convalescence, ce jeune homme décide d'entreprendre une course à travers le Canada en vue d'amasser des fonds pour la recherche sur le cancer. Retrouve Terry Fox après 5 373 km de course.

C'est par une journée maussade, le 1ᵉʳ septembre 1980, au nord de l'Ontario, que Terry a couru ses derniers kilomètres. Ce matin-là, en amorçant sa course, il était confiant et en forme. Des gens rassemblés le long de la route lui criaient: «Ne lâche pas, tu peux y arriver.» Ces paroles le stimulaient et lui remontaient le moral. Mais, après avoir parcouru près de 18 milles, il a commencé à tousser et à ressentir une douleur à la poitrine. Terry savait faire face à la douleur et il a couru en endurant celle-ci comme il l'avait toujours fait auparavant. Il a continué jusqu'à ce que la douleur se dissipe.

Il a traversé six provinces et franchi les deux tiers du parcours prévu. Il a couru pratiquement un marathon par jour pendant 144 jours. Une épreuve difficile pour un coureur en bonne santé et un exploit extraordinaire pour une personne amputée!

Il avait 22 ans. Ses cheveux étaient ondulés, son teint hâlé, il était beau, déterminé et entêté. Sa jambe gauche était forte et musclée. Sa jambe droite n'était qu'un moignon ajusté à un membre artificiel fait de fibre de verre et d'acier.

Sa course, le Marathon de l'espoir, ainsi qu'il l'avait nommée, était sa façon à lui de rembourser une dette. Terry croyait qu'il avait gagné sa bataille contre le cancer et il voulait amasser des fonds (un million de dollars) pour lutter contre cette maladie. Il voulait également prouver qu'un homme n'est pas amoindri parce qu'il a perdu une jambe, au contraire. Il a démontré clairement qu'il n'y a aucune limite à ce qu'une personne amputée peut faire. Il a changé l'attitude des gens à l'égard des personnes handicapées et il a démontré que même si le cancer avait emporté sa jambe, son esprit, lui, n'avait pu être anéanti.

Son Marathon de l'espoir a commencé comme un rêve improbable : deux amis, un pour conduire la camionnette et un pour courir, une route sinueuse et une profonde croyance dans les miracles. Terry Fox a traversé les plus petits villages de pêche et les plus grandes villes du Canada sous les orages glacés et dans la chaleur de l'été, affrontant des vents cinglants d'une si grande puissance qu'il ne pouvait pas avancer.

Bien qu'il évitait lui-même ce terme, les gens le surnommaient «le héros». Lui se voyait encore comme le petit Terry Fox, de Port Coquitlam (Colombie-Britannique), quelqu'un d'ordinaire, mais de très déterminé.

Ici, à environ 18 milles de Thunder Bay, à la tête du lac Supérieur, la toux s'est arrêtée mais la douleur, vague et aiguë, n'a pas cessé. Ni la course, ni le repos ne pouvaient la faire disparaître.

Il voyait des gens alignés sur la côte, juste devant lui. Une voiture de la police de l'Ontario roulait juste derrière lui, les gyrophares clignotant dans la bruine. Et toujours les encouragements l'entouraient : «Tu peux te rendre jusqu'au bout!»

Terry ne pouvait pas ignorer ce que les gens lui disaient. «J'ai commencé à réfléchir sur ce que j'entendais. J'ai cru que ça aurait pu être mon dernier mille.» Il a couru jusqu'à ce qu'il n'y ait plus personne et là, il est monté péniblement dans la camionnette et il a demandé à son ami, Doug Alward, de le conduire à l'hôpital.

Terry est décédé entouré des siens le 28 juin 1981, à moins d'un mois de son 23e anniversaire. La nation était en deuil, des drapeaux flottaient en berne. Mais les gens ne l'ont pas oublié et son histoire ne s'est pas terminée à sa mort.

LETTRE DE TERRY FOX POUR DEMANDER
LE SOUTIEN DE LA POPULATION

La nuit précédant mon amputation, mon ancien entraîneur de basket-ball m'apporta un article sur un amputé qui avait couru le marathon de New York. C'est à ce moment que j'ai décidé de relever le nouveau défi qui se présentait à moi. Non seulement en acceptant mon handicap, mais en le conquérant.

Je réalisais bientôt que cela ne serait que la moitié de mon défi. Pendant que je traversais seize mois d'épuisement physique et émotionnel, je prenais brutalement conscience de toutes les émotions qui règnent dans le service d'oncologie de l'hôpital. Il y avait des visages qui arboraient de courageux sourires et d'autres qui les avaient déjà abandonnés. Il y avait ceux qui étaient remplis d'espoir et d'autres qui étaient désespérés. Ma quête ne serait pas une quête égoïste. Je ne pouvais quitter cet endroit en sachant que ces visages et ces émotions continuaient d'exister même si j'étais moi, guéri.

Un moment donné, la souffrance doit cesser… et j'étais déterminé à aller jusqu'au bout de moi-même pour défendre cette cause.

Dès le début, le chemin à parcourir fut extrêmement difficile et je faisais face à des douleurs chroniques inconnues des coureurs « bipèdes », qui venaient s'ajouter aux douleurs physiques normales qu'éprouvent tous les athlètes accomplis.

Mais ces problèmes sont désormais derrière moi car je me suis « accroché » et j'ai appris à les gérer. Je me sens fort, non seulement physiquement mais surtout émotivement. Bientôt j'ajouterai un mille par semaine et, conjugué à mon entraînement de lever de poids d'ici avril prochain, je serai prêt à accomplir une chose qui jusqu'à présent n'était pour moi qu'un rêve lointain réservé au monde des miracles: courir à travers le Canada pour collecter des fonds afin de vaincre le cancer.

Je courrai, même si je dois effectuer les derniers kilomètres en rampant. Nous avons besoin de votre aide. Les personnes atteintes de cancer dans les hôpitaux partout dans le monde ont besoin de gens qui croient aux miracles. Je ne suis pas un rêveur et je ne prétends pas que ma démarche apportera un remède définitif au cancer. Mais je crois aux miracles. Il le faut.

Terry Fox, octobre 1979

Adaptation de l'article de Leslie Scrivener, *Le Marathon de l'Espoir*. © Fondation Terry Fox.

EN PRIME

• Pour réaliser son rêve, Terry Fox a fait preuve d'une persévérance héroïque. Fais ressortir quelques-uns de ses traits de caractère dans la fiche **65**.

Amies à vie

Sonia et Brune sont de très grandes amies. Quand Brune apprend que Sonia est atteinte d'un cancer, elle l'encourage et la soutient dans ce moment difficile. Et quand Sonia perd courage après avoir perdu ses cheveux, Brune se surpassera pour soutenir son amie. Découvre le geste qu'elle accomplira.

Je ne savais pas qu'une chimio-thérapie comme celle que suivait Sonia faisait tomber les cheveux.

Elle non plus.

Les médecins l'avaient pourtant avertie, avec tact, avec gentillesse, mais elle avait refusé de comprendre. Son esprit avait nié ce problème. Jusqu'à aujourd'hui.

Il m'a fallu beaucoup de temps pour arriver à la consoler. Cette histoire de cheveux était le raz de marée qui faisait déborder un vase déjà bien plein et elle n'arrivait plus à faire surface.

Quand je suis partie, je crois que j'avais réussi à la convaincre que ce problème n'était que passager et que s'il fallait passer par là pour guérir, le prix à payer était finalement peu élevé, mais j'étais épuisée.

Voir Sonia effondrée alors que je la considérais comme une des personnes les plus fortes de mon entourage impliquait que je me dépasse et, si j'avais réussi, je n'en sortais pas vraiment indemne. [...]

*

J'ai fermé la porte de ma chambre derrière moi et mes doigts se sont refermés sur les ciseaux argentés.

Savoir que ma grand-mère avait prévu depuis une semaine ce qui allait se passer et qu'avec les ciseaux elle m'avait offert son soutien tacite m'a un peu réconfortée, mais c'est en tremblant que je me suis approchée du miroir accroché au-dessus de mon bureau.

*

La première mèche a été la plus difficile à couper. Lorsque je me suis enfin décidée, elle est tombée avec un bruit feutré sur un cahier et je l'ai regardée un instant, surprise de cette brusque et irrémédiable séparation.

J'ai ensuite pris une grande inspiration et je me suis mise au travail.

*

Je ne veux surtout pas que l'on me croie plus forte ou plus noble que je ne le suis en réalité, quand je me suis vue dans le miroir, j'ai tout de suite regretté mon geste!

Mes cheveux s'étaient amoncelés sur mon bureau en formant une masse douce et coulante dans laquelle on avait envie de plonger les mains, et moi je ne ressemblais plus à rien. Mon crâne était nu et pâle, énorme et laid. J'y ai porté les mains, caressant les derniers cheveux ras que les ciseaux n'avaient pas anéantis, j'ai eu un hoquet et mes yeux se sont embués.

Je ne sais pas comment j'ai fait pour ne pas m'écrouler en larmes. Au contraire, j'ai relevé le menton et je me suis défiée du regard.

— Assume, Brune, me suis-je lancé à haute voix, l'amitié ça se vit, ça se mérite et ça ne se mesure pas en cheveux!

La peau de mon crâne me faisait mal, irritée par le passage des ciseaux sur des zones où j'avais dû insister. Je n'ai eu qu'à tendre la main, ma grand-mère avait évidemment pensé à tout. Quand j'ai ouvert l'emballage du tube de crème apaisante, un petit morceau de papier qui avait été glissé à la place de la notice est tombé au sol. Je l'ai ramassé et j'ai reconnu l'écriture de ma grand-mère: *Il faut savoir vivre comme l'on pense, Brune, sinon on finit par penser comme on a vécu.*

C'était elle, dans toute sa magie, et ses mots ont fini de chasser mes regrets dans les oubliettes de mon esprit. Je me suis massé le cuir chevelu avec la crème et immédiatement la sensation de brûlure a disparu.

Il ne me restait plus qu'à affronter mes parents…

*

Ils étaient en train de lire au salon.

Ma mère a eu un sursaut d'effroi et a porté ses mains à sa bouche pour étouffer un cri ou un hurlement. Mon père est devenu tout blanc et son livre est tombé de ses mains. Il n'a pas bougé.

— Brune… Qu'est-ce que… Pourquoi… Mais… a hoqueté ma mère.

— Je ne pouvais pas faire autrement, ai-je commencé, surprise d'entendre ma voix calme, posée.

— Tes cheveux… m'a coupé maman. Tu es folle…

— Non, l'ai-je interrompue à mon tour, il vaut mieux que les gens se retournent sur mon passage, et que moi je puisse continuer à me regarder dans une glace, plutôt que le contraire. C'est ce que vous avez toujours essayé de m'expliquer, non ? Aujourd'hui, je l'ai appliqué, c'est tout.

Ma mère est restée bouche bée, mais son regard a changé, s'est chargé de tellement de tendresse, que je me suis sentie follement heureuse. Papa s'est levé et est venu jusqu'à moi en marchant sur son livre. Il m'a soulevée dans ses bras et j'ai posé ma tête sur son épaule.

— Grenouille, je suis très fier de toi. Bien sûr, ça fait un drôle d'effet de se rendre compte qu'à la place de la petite fille qu'on croyait avoir, on a une jeune fille en train d'éclore, mais je suis très fier de toi.

Sa voix était un peu rauque, mais j'ai compris qu'il pensait vraiment ce qu'il disait et mon bonheur a été complet.

★

À huit heures moins cinq, je me suis assise sur la rambarde du petit pont et j'ai attendu Sonia.

Elle n'est pas venue.

J'ai attendu un quart d'heure en caressant machinalement ma tête au travers de la capuche de mon sweat-shirt. À huit heures dix, j'ai compris qu'elle ne viendrait pas et je me suis sentie vraiment mal.

J'ai failli rebrousser chemin pour aller m'abriter à la maison mais, après ce que j'avais affirmé la veille à mes parents, je n'ai pas osé. Ils m'avaient pourtant bien dit de les appeler si quelque chose n'allait pas, si j'avais le moindre besoin d'eux, mais j'ai voulu continuer.

Je me suis mise à marcher vers le collège comme une condamnée vers son supplice, en traînant les pieds et avec des pensées qui partaient dans toutes les directions.

Sonia a hanté mon esprit pendant la moitié du chemin, puis au fur et à mesure que le nombre de collégiens sur le trottoir augmentait, il n'y a plus eu en moi que l'angoisse du moment où on me verrait.

Juste avant la demie, j'ai franchi le portail. Je ne me rappelais pas qu'il y avait autant d'élèves que ça le matin dans la cour. J'ai eu de nouveau envie de m'enfuir, mais je me suis rappelé le geste de Sonia la veille et j'ai rejeté ma capuche en arrière.

Pendant quelques secondes, il ne s'est rien passé. Puis le ton des conversations autour de moi a changé et le premier rire a fusé. J'ai utilisé toute mon énergie à rester impassible et j'ai continué à traverser la cour. Mes jambes se sont alors mises à trembler et j'ai dû m'arrêter. Un cercle s'est formé autour de

moi. J'ai cligné des yeux, je ne voyais que regards hilares, sourires goguenards, mimiques moqueuses.

Les rires ont déferlé.

— Ho, Brune! Tu te prends pour une boule de billard?

— Où t'as mis tes cheveux? Au lavage? [...]

La sonnerie a retenti et mes copines m'ont tourné le dos pour entrer dans le hall. Je les ai suivies en essayant de calmer les battements de mon cœur et les tremblements de mes jambes. Nous sommes montées jusqu'à la salle d'anglais. Tout le monde se retournait sur mon passage. Je n'aurais jamais pu imaginer que le prix à payer pour pou-

voir continuer à se regarder dans une glace sans avoir honte soit aussi élevé.

La porte de la classe s'est ouverte et madame Travail nous a fait signe d'entrer. Quand je suis passée près d'elle, j'ai retenu ma respiration, mais elle n'a rien dit. J'ai même eu l'impression qu'elle ne m'avait pas remarquée.

Je me suis assise à la table que je partageais avec Sonia, personne n'est venu près de moi.

Malgré la présence de la prof la plus redoutée du collège, les conversations ont continué quelques minutes, j'en étais l'unique sujet.

Madame Travail s'est raclé la gorge et le silence est tombé, complet.

Elle a joint ses mains devant sa bouche un instant, puis les a posées sur le bureau et s'est penchée en avant.

— Une fois n'est pas coutume, a-t-elle commencé d'une voix beaucoup plus douce que d'habitude, nous allons laisser l'anglais de côté et nous allons parler de vous, ou plutôt je vais vous parler de moi.

Le silence était total. J'ai senti d'une manière presque palpable le bien-être de ne plus être le centre de l'attention générale. Madame Travail a continué :

— J'ai eu un jour un bébé, une petite fille. Je n'ai pas toujours été, vous savez, une affreuse prof tyrannique et moustachue.

Étrangement, il n'y a eu aucun rire dans la classe, tout le monde était parfaitement immobile.

— Cette petite fille, alors qu'elle venait d'avoir un an, a attrapé une leucémie, un cancer du sang si vous préférez. Elle est morte.

« Je n'attends pas que vous vous penchiez sur ce qu'est alors devenue ma vie. Cela n'a rien à voir avec l'objet de mon discours et ne vous regarde d'ailleurs pas. Ce qui suit, par contre, vous concerne. Si ma fille avait attrapé cette leucémie plus tard, à votre âge par exemple, si elle avait dû se battre pour survivre au lieu d'être emportée comme elle l'a été, si elle avait dû sacrifier sa scolarité pour se soigner, si des médicaments pris à fortes doses l'avaient épuisée au point de lui faire tomber tous ses cheveux, j'aurais vraiment aimé que tout au long

de cette galère elle puisse avoir une amie pour la soutenir, une véritable amie comme Brune l'est pour Sonia. »

Madame Travail s'est tue. Il n'y avait toujours aucun bruit dans la classe. Au bout d'une éternité, elle a repris :

— Tout le monde rêve d'être extraordinaire, de se comporter en être d'exception. Beaucoup s'y efforcent et peu y arrivent. Toutefois, un bon moyen de commencer est d'essayer de ne pas écraser ceux qui ont pris un peu d'avance sur cette voie.

Elle m'a alors regardée, d'une façon que je croyais impossible pour un prof, pleine d'affection et de respect.

— Brune, je ne veux pas rabaisser ce que tu as fait en te félicitant. Je veux simplement t'encourager, te soutenir aussi si je peux. Je suis certaine que Sonia va guérir et ce sera pour beaucoup grâce à toi.

Madame Travail s'est alors redressée et lentement s'est mise à applaudir. J'ai fermé les yeux. Tout autour de moi, j'ai entendu des bruits de chaises que l'on tirait et, un à un les applaudissements des élèves de la classe sont venus se joindre à ceux de la prof.

*

C'est la solitude qui fragilise.

Quand je suis descendue en récré, entourée de mes quatre copines de toujours et précédée par la rumeur de mes aventures que les élèves de la classe se chargeaient de diffuser, je me suis sentie parfaitement détendue, forte même. […]

Quand elle est arrivée devant le portail, je l'ai vue se redresser et rejeter sa capuche en arrière avec cet air décidé qui était le sien et que j'avais essayé d'imiter.

Puis je me suis délectée de sa surprise, quand au lieu des rires et des remarques blessantes, elle n'a entendu que des murmures et quelques exclamations. J'ai goûté son ébahissement, quand à la place du cercle des vautours qu'elle redoutait, une haie d'honneur s'est ouverte spontanément devant elle. Un grand sourire hilare est venu se plaquer sur mon visage quand sa surprise est devenue ahurissement, lorsqu'elle m'a enfin aperçue.

Nous avons rapidement franchi les quelques mètres qui nous séparaient. Nous nous sommes arrêtées tacitement, juste avant de tomber dans les bras l'une de l'autre – pudeur, délicatesse ou simplement envie de profiter de l'instant magique.

Je me demandais où était Sonia, ce qu'elle faisait et pourquoi elle m'avait posé un lapin. Je ne me suis pourtant pas vraiment inquiétée ; au fond de moi, je savais ce qui s'était passé, qu'elle avait été écrasée par l'angoisse, tout simplement incapable de relever ce dernier défi.

J'ai lu sur le visage de Sonia l'intensité des émotions qui se sont bousculées en elle quand elle a pris conscience que j'avais vécu ce matin tout ce qu'elle craignait, tout ce à quoi elle avait échappé.

Je la comprenais bien.

Pierre Bottero, *Amies à vie* © Castor poche, Flammation, 2001.

★

Elle est arrivée au collège à treize heures trente, juste avant la reprise des cours. Je l'ai vue de loin et j'ai souri devant sa démarche anxieuse, je devais avoir la même, le matin.

EN PRIME

• Pour son amie Sonia, Brune s'est battue avec la force intérieure des héroïnes. Fais ressortir la beauté de son geste dans la fiche **66**.

Jordan apprenti chevalier

Fils unique du seigneur de Gourron, Jordan est appelé à devenir un grand chevalier et à succéder à son père. Un jour, alors qu'il chevauche sa jument Vif-Argent, il se blesse gravement à la jambe. Son avenir est-il compromis? Comment le jeune Jordan, si débordant d'énergie, fera-t-il face à cette pénible épreuve?

On installa Jordan dans la chambre des dames. Ainsi, on pourrait mieux s'occuper de lui. Son lit fut placé à côté d'une fenêtre afin qu'il puisse observer l'animation de la cour.

L'immobilité était une terrible épreuve pour ce garçon qui aurait mérité autant que sa jument de s'appeler Vif-Argent. Non seulement était-il exaspéré d'être cloué sur place, mais en plus, il avait très peur de demeurer infirme. Toutes les nuits, il faisait des cauchemars: il se voyait avec une jambe atrophiée qui ne pouvait plus supporter le poids de son corps. Quand il se réveillait en hurlant, sa mère, que l'inquiétude empêchait de dormir, accourait aussitôt. Elle le réconfortait de son mieux, mais elle-même n'était pas sûre que tout irait bien et elle ne parvenait pas à le lui cacher.

Pendant les nombreuses semaines que Jordan passa alité, tout le monde fit son possible pour le distraire.

Les suivantes de sa mère chantaient et jouaient de la musique. Elles organisaient des jeux, posaient des devinettes, racontaient des histoires. Jordan disputait avec elles d'interminables parties d'échecs, et il devint fort habile à ce jeu.

Jean était très assidu. Tous les après-midi, le jeune seigneur l'attendait avec impatience, car il avait hâte d'écouter ses récits sur les animaux de la forêt. Mais le temps, avec l'intendant, passait trop vite. Lorsqu'il manifestait son intention de le quitter, Jordan essayait de le retenir. En vain: Jean devait aller travailler. Alors il s'en allait en lui promettant de revenir le lendemain, et il tenait toujours ses promesses.

Félicien était venu lui parler de Vif-Argent: il fallait monter la jument pour qu'elle n'en perde pas l'habitude. À qui le jeune seigneur voulait-il confier cette tâche? Lui, Félicien, ne pouvait pas s'en charger: il était trop vieux désormais pour monter à cheval. Le mieux serait qu'elle porte un cavalier du même poids que celui auquel elle est accoutumée, suggéra-t-il.

Jordan désigna Paulin, comme le palefrenier semblait le souhaiter. Mais tous les matins, il ressentait une pointe de jalousie quand il le voyait sortir Vif-Argent de l'écurie. Il pensait que peut-être lui-même ne pourrait plus jamais monter à cheval. Et quand Paulin arrivait, tout imprégné de l'odeur de sa jument, c'était encore pire: Jordan avait tellement envie de toucher Vif-Argent, de la caresser et de la monter,

qu'une boule se formait dans sa gorge et qu'il devait faire appel à toute sa volonté pour ne pas pleurer. [...]

Cette période d'immobilité, pénible à bien des égards, apporta cependant une grande joie à Jordan: son père vint souvent lui tenir compagnie. Pour faire plaisir à son fils, qui avait enfin osé lui en faire la demande, Bertrand de Gourron lui raconta les souvenirs de ses expéditions lointaines.

Par la magie du récit, le père et le fils se trouvaient transportés dans un pays de sable et de soleil où des guerriers, entièrement vêtus de blanc, se ruaient sur leurs ennemis en poussant des cris étranges... En écoutant son père, le garçon laissait ses yeux errer sur la tapisserie qui couvrait le mur de la grande salle. Brodée par sa mère lorsque le seigneur était revenu d'Orient, elle représentait le pays fabuleux dont son père lui parlait. [...]

Tous, dans la seigneurie, s'efforcèrent de rendre l'épreuve plus douce au jeune seigneur. Même le capitaine des gardes vint le visiter de temps en temps, mais il ne s'attardait pas et Jordan ne faisait rien pour le retenir.

*

L'accident s'était produit à la fin de l'été. Depuis ce jour, posté à la fenêtre du donjon, Jordan avait vu défiler dans la basse-cour tous les travaux de l'automne. À la fin des moissons avait succédé la vendange, puis on avait rentré le bois pour l'hiver et on se préparait à tuer les porcs pour saler la viande et avoir de la nourriture jusqu'au printemps suivant. Il y avait maintenant de la neige dans la cour, et Jordan était toujours immobilisé.

Chaque matin, lorsque Guillemette venait faire bouger ses orteils pour qu'ils ne s'ankylosent pas, il la suppliait de le délivrer de ses attelles, mais elle était inflexible :

— Patiente encore un peu, disait-elle. S'ennuyer quelques semaines, ce n'est rien. Par contre, si on les enlève trop tôt, c'est toute ta vie que tu le regretteras.

Jordan soupirait, grognait, criait, frappait du poing sur la peau d'ours qui lui servait de couverture, mais Guillemette ne cédait pas : elle enlèverait les attelles pour la fête des Rois, pas avant.

Pour aider son fils à patienter, dame Garsie avait imaginé de tracer une sorte de calendrier sur les dalles, à côté de lui. Avec le bout charbonneux d'un tison pris dans la cheminée, elle avait fait autant de marques qu'il restait de jours. Chaque matin, Jordan en barrait une et se rapprochait de la délivrance.

Vint enfin le matin où Jordan raya la dernière : le grand jour était arrivé ! Tout le monde se réunit dans la salle pour assister à l'opération : dame Garsie, entourée de ses suivantes, le

seigneur, Félicien, Jean et même Sicard. Paulin était là, bien sûr, ainsi que tous ses compagnons de jeu. Les visages des assistants reflétaient à la fois la crainte et l'espoir.

Le moment était solennel, et on aurait pu entendre voler une mouche. Guillemette déroula prestement les bandes de tissu, puis elle resta la main en l'air, comme si elle n'osait pas faire le dernier geste.

— Dépêche-toi ! ordonna Jordan.

Alors, elle ôta les planchettes qui avaient maintenu la jambe en place. Tout le monde se pencha en avant pour mieux voir. La jambe de Jordan apparut. Elle était blanche et maigre. Mais elle était droite !

Extrait de *Jordan apprenti chevalier* de Maryse Rouy, Collection ATOUT, Éditions Hurtubise HMH, Montréal, 1999.

EN PRIME

• Dans la fiche **67**, fais ressortir comment Jordan, aidé de son entourage, a surmonté l'épreuve de l'immobilité.

L'affaire des kangourous

*C'est la rentrée et dans la classe de Futékati, chacun y va du récit de ses vacances.
Célia prétend avoir passé des vacances passionnantes en Australie,
mais Futékati en doute. La jeune fille, qui adore résoudre les énigmes,
parviendra-t-elle à démasquer Célia ?*

Il paraît qu'en Australie il y a des milliers de moutons et de kangourous. Et aussi des koalas, qui grimpent le long des troncs d'arbres.

Et puis c'est un pays très bizarre : comme il est situé de l'autre côté de la terre, tout est à l'envers… Quand c'est l'hiver ici, c'est l'été en Australie, et quand c'est l'été ici, c'est l'hiver là-bas ! En plus, dans ce pays, tout le monde parle anglais ! […]

« Alors, Célia, ces photos d'Australie ? demande Madame Cannelle.

— Justement, je les ai apportées, répond Célia en jetant un regard noir à Élisabeth. Mais il n'y en a pas beaucoup parce que j'ai eu un petit problème. J'ai ouvert mon appareil en plein jour, et la moitié des photos sont ratées.

— Ma pauvre ! » lance Élisabeth.

Madame Cannelle prend la pochette et regarde les photos. Il y en a si peu que c'est tout de suite fini.

« Parfait, dit-elle. Tenez, les enfants, faites-les circuler… C'est dommage que tu n'aies pas pris plus de paysages, Célia… Ce sont surtout des photos de toi en train de manger des glaces ou en train de te baigner !

— C'est vrai, ça, renchérit Élisabeth. Finalement, ces photos, tu aurais aussi bien pu les prendre sur la Côte d'Azur !

— Ou en Bretagne ! » ajoute Pauline.

Cette fois, Célia devient toute rouge. Elle est tellement vexée qu'elle bafouille :

« Ah… ah bon ? Et des kangourous, vous en avez vu beaucoup, en Bretagne et sur la Côte d'Azur ? »

Tout le monde s'arrache les photos et Madame Cannelle ne sait plus où donner de la tête.

« Parfait, parfait ! crie-t-elle. Vous n'allez tout de même pas vous battre pour des kangourous ! »

Soudain, Élisabeth lève la main et dit d'une voix mielleuse :

« C'est drôle, maîtresse... Vous avez vu la photo du kangourou ? Dans le coin, on aperçoit un grillage... et puis un bout de panneau avec une inscription. La photo a dû être prise dans un zoo ! »

Madame Cannelle regarde attentivement et s'exclame :

« Tu es très observatrice, Élisabeth. Voyons ce qui est écrit sur la pancarte... IL EST INTERDIT DE ... »

Célia, l'air furieux, se lève et affirme en tapant du pied :

« Évidemment ! C'est très difficile de photographier des kangourous en liberté ! Alors mes parents m'ont emmenée dans une réserve, une espèce de zoo géant où on peut observer les animaux de près.

— Célia a raison, répond Madame Cannelle. En Australie, il y a beaucoup de réserves d'animaux... Parfait. Eh bien, maintenant, nous allons parler du Japon. C'est le pays de ton papa, n'est-ce pas, Futékati ?... Futékati ? Tu m'entends ? Tu pourrais tout de même me répondre ! »

Je n'entends pas Madame Cannelle. Je suis en train de réfléchir...

Lorsque la cloche sonne, à onze heures et demie, je m'approche de Célia et je lui chuchote :

« Je ne le dirai pas aux autres pour qu'elles ne t'embêtent pas, mais moi je sais que tu as menti. Tu n'es pas allée en Australie ! Tes photos, tu les as prises en France ! »

J'ai l'air tellement sûre de moi que Célia devient toute rouge. Elle me demande : « Comment tu as deviné ? »

Brigitte Nicodème, *Futékati et le concours de natation*, Coll. Bibliothèque Rose © Hachette Livre, 2000.

EN PRIME

• Commences-tu toi aussi à avoir des soupçons sur les propos de Célia ? Dans la fiche **68**, examine le texte avec attention et fais travailler ta matière grise pour dénouer cette énigme.

LA PARFAITE PANOPLIE DES ESPIONS

*Que sais-tu des gadgets utilisés par les détectives
pour mettre à jour les desseins coupables de leurs suspects ?
Découvre dans ce texte des gadgets qui simplifient leur enquête.*

Ta mission: identifier tous les trucs des agents secrets. Pour t'aider, voici quelques indices. Attention! après les avoir lus, ton manuel s'autodétruira…

VOIR LA NUIT COMME EN PLEIN JOUR

Les chats ne sont pas les seuls à voir dans le noir. Avec ces lunettes, les espions et les soldats y arrivent aussi. Tous les êtres vivants et les objets émettent des rayons infrarouges, invisibles pour l'œil humain. Les lunettes captent ces rayons et les changent en lumière visible. Mieux: elles envoient aussi des infrarouges qui se réfléchissent en partie sur les obstacles, comme si elles les «éclairaient». Des chercheurs américains voudraient aller plus loin et greffer au fond de l'œil des agents des capteurs sensibles aux infrarouges.

CAMÉRA CACHÉE

Ce manteau a été conçu en 1947. L'un des boutons est équipé d'un minuscule objectif relié à une caméra dissimulée dans une poche. Aujourd'hui, les caméras sont encore beaucoup plus petites. Elles peuvent être cachées dans des lunettes, des montres, des bagues, des bracelets… Souriez! vous êtes filmés!

SUPER BOMBE… AÉROSOL

Que contient cette enveloppe sur laquelle vous venez de mettre la main? Les coordonnées d'un rendez-vous secret? Un plan pour s'y rendre? Pour en connaître le contenu sans ouvrir l'enveloppe, il faudrait voir à travers l'enveloppe. C'est facile comme tout grâce à un vaporisateur bien spécial. Vous aspergez l'enveloppe qui, pendant trente secondes, devient invisible. Après ce délai, le papier redevient opaque et ne laisse rien deviner du subterfuge.

PHOTO VOLÉE

Cette montre d'à peine plus de cinq centimètres sur quatre indique l'heure, bien sûr! Mais… elle renferme aussi un appareil photo numérique capable de stocker 100 images. Les clichés sont ensuite envoyés à un ordinateur grâce à une liaison infrarouge. C'est dans la boîte.

LA DENT CREUSE

Voilà le dernier-né des gadgets miniatures: un récepteur radio si petit qu'on peut le cacher dans une dent. Les signaux reçus sont transformés en sons et se propagent jusqu'à l'oreille par l'os de la mâchoire. Ni vu ni connu.

LA CHAUSSURE-MICRO

Pour surprendre sans être pris, rien ne vaut la discrétion. Cette chaussure, digne d'un grand détective, est utilisée par les espions pour enregistrer des conversations. Ils appuient sur un bouton placé dans le talon pour allumer un micro. Les sons sont alors transmis par un émetteur radio à un appareil enregistreur situé dans une pièce voisine. Inutile de faire des messes basses.

LE RAYON QUI ÉCOUTE

Difficile d'avoir une conversation secrète, même dans une pièce fermée et bien insonorisée. Un espion peut t'écouter à plus de 50 mètres de distance à travers… la fenêtre. Les sons sont en effet des vibrations qui se transmettent dans l'air. Celles-ci font légèrement trembler les vitres. Pour espionner, l'agent secret projette un rayon laser sur les carreaux. Il rebondit sur la fenêtre puis revient à son point de départ plus ou moins déformé en fonction des vibrations du verre. Ensuite, il suffit de déchiffrer la discussion à l'aide d'un puissant ordinateur.

Élizabeth Combres, « Les incroyables gadgets des espions », *Science & Vie découvertes*, n° 45, août 2002.

POUR NE PAS PERDRE LE NORD

Tes recherches te mènent dans un quartier que tu ne connais pas bien? Sors ta superboussole: elle t'indiquera précisément ta position. Reliée à plusieurs satellites, elle affiche quasi instantanément ta situation géographique sur un écran miniature. Et pour te diriger vers la maison d'un suspect ou d'un témoin, tape son adresse et suis le plan affiché à l'écran. Avec la superboussole, impossible de perdre le nord!

EN PRIME

• Dans la fiche **69**, familiarise-toi avec ces gadgets, qui pourraient bien t'aider à mener tes propres enquêtes.

PORTRAITS DE FINS LIMIERS

*Ils sont parfois plus célèbres que leurs auteurs. Ils ont chacun leurs manies
et leurs méthodes, mais ils ont tous le don de résoudre des enquêtes.
Viens faire la connaissance de ces détectives tous plus futés les uns que les autres.
Leurs façons de faire t'aideront peut-être à définir la personnalité
du détective que tu dois créer.*

HERCULE POIROT

Né sous la plume de la reine du polar Agatha Christie, Hercule Poirot est un détective privé belge, comme il se plaît à le rappeler. Même s'il exerce son métier à Londres, il est originaire de la Belgique, qu'il a fuie lors de la Première Guerre mondiale, et il est fier de son pays natal. Parfois surnommé « cellules grises », car c'est grâce à la logique qu'il résout les énigmes, Hercule Poirot n'en est pas moins un personnage fort sympathique. On sourit quand on se l'imagine tortillant sa moustache et proclamant qu'il est le plus grand détective que le monde ait connu. Avec son célèbre esprit de déduction, il est vrai qu'aucune affaire ne lui échappe.

AGATHA CHRISTIE, AUTEURE

méfie de cette vieille dame d'apparence inoffensive. Elle peut donc interroger les gens sans éveiller les soupçons et recueillir des renseignements qui ne sont pas parvenus à l'oreille de la police. À partir des réponses qu'elle obtient et de ses observations, elle réfléchit et perce les mystères.

JANE MARPLE

Miss Marple, autre détective née de la plume d'Agatha Christie, est une investigatrice redoutable. Tranquille sexagénaire ayant comme loisir principal le tricot et aimant la céramique, elle habite seule la banlieue de Londres. En fait, Agatha Christie s'est inspirée de sa propre grand-mère pour imaginer les traits de son héroïne. Personne ne se

MAUD SILVER

En plusieurs points semblable à la célèbre Miss Marple d'Agatha Christie, Maud Silver est pourtant son aînée puisqu'elle a vu le jour deux ans plus tôt. Créée en 1928 par Patricia Wentworth, Maud Silver habite Londres, en Angleterre. Ancienne enseignante, la vieille dame devient détective privée à la suite d'un concours de circonstances.

Petite femme discrète, toujours polie, d'un âge respectable et d'apparence soignée (même si ses vêtements sont plutôt démodés), elle inspire confiance. Elle est toujours accompagnée de son éternel ouvrage de tricot, un loisir dans lequel elle excelle. Elle se promène parmi les domestiques et sait les inciter à bavarder. À travers les ragots et les mensonges, elle réussit à tout coup à démasquer la vérité.

JULES MAIGRET

Contrairement à ce que son nom laisse entendre, Jules Maigret, créé par l'auteur Georges Simenon, est un homme costaud mesurant 1,80 m et pesant 100 kg. Grand fumeur, il ne quitte jamais sa pipe. On peut facilement deviner que son enquête lui cause des soucis quand il mordille nerveusement sa pipe

GEORGES SIMENON, AUTEUR

éteinte. Sa méthode d'investigation consiste à partir seul à la recherche d'indices en posant des questions à gauche et à droite. Lorsqu'il croit avoir démasqué le coupable, il s'assoit en face de lui et l'interroge en usant de psychologie pour lui faire avouer sa faute. Sa réputation d'enquêteur n'est plus à faire au sein de la police française.

AUGUSTE DUPAIN

Auguste Dupain est issu de l'imagination de l'illustre écrivain Edgar Allan Poe, considéré par plusieurs comme le « père des énigmes à résoudre ». Même s'il n'est apparu que dans quelques-unes des œuvres de l'auteur, ce jeune héros a certainement inspiré plusieurs auteurs. Créé vers le milieu du 19ᵉ siècle,

EDGAR ALLAN POE, AUTEUR

Auguste Dupain est un être particulier qui aime l'obscurité de la nuit. Le jour, il reste cloîtré à lire et à rêvasser dans un vieux manoir de la banlieue de Paris. Dans ses enquêtes, il étudie attentivement le langage corporel des gens et réussit de façon surprenante à deviner leurs pensées. Grâce à l'observation et à l'analyse, il parvient à résoudre les énigmes. En le créant, Poe a également donné naissance à un duo que l'on verra souvent par la suite : le brillant détective et son assistant un peu moins… brillant.

SHERLOCK HOLMES

Sir Arthur Conan Doyle est le créateur de l'illustre Sherlock Holmes, probablement le détective le plus connu de la planète. Qui n'a pas déjà entendu la célèbre phrase « Élémentaire mon cher Watson ! » qu'il lance à son ami, le

SIR ARTHUR
CONAN DOYLE,
AUTEUR

Docteur Watson, déconcerté par son incroyable esprit de déduction. Grand fumeur de pipe, il habite le 221 Baker Street, bâtiment B. D'un calme légendaire, son esprit bouillonne pourtant lorsqu'on lui soumet une enquête. Il n'hésite alors pas à sortir de chez lui afin de se lancer activement à la recherche de la clé de l'énigme. Plus le problème est grand, plus son intérêt en est accru. Aucun mystère ne peut résister au raisonnement du célèbre Sherlock Holmes.

ARSÈNE LUPIN

Arsène Lupin, surnommé le gentleman cambrioleur, n'est certes pas un détective comme les autres. Passé maître dans l'art du déguisement, il en aurait même oublié sa véritable apparence, dit-on. Arsène Lupin change aisément ses vêtements, sa voix ou ses traits, ce qui en fait un cambrioleur insaisissable. Les systèmes de sécurité les plus perfectionnés n'ont pour lui aucun secret. Malgré une enfance malheureuse, il a un sens de la justice très affirmé. Il n'hésite donc pas à dérober aux plus forts ce qu'il rend aux plus faibles. Robin des bois d'une autre époque, ce cambrioleur est toujours prêt à intervenir, surtout lorsque c'est une jolie jeune femme qui est en danger!

KINSEY MILLHONE

Après les célèbres Miss Marple et Miss Silver, voici une détective qui sort de l'ordinaire. Finis le thé, les ragots et les châteaux anglais: Kinsey Millhone, vêtue de jeans et d'espadrilles, conduit une voiture sport et habite dans un ancien garage de la petite ville de Santa Teresa, au nord de Los Angeles. Héroïne des temps modernes, la détective privée, créée en 1982 par l'Américaine Sue Grafton, est une jeune divorcée de 32 ans. Elle ne fume pas, ne boit pas et fait de la course tous les matins. Lorsqu'elle était petite, ses parents sont décédés dans un accident de voiture. C'est sans doute l'éducation de sa tante, aux principes plutôt arrêtés, qui a développé son caractère très indépendant. Même si elle semble parfois avoir la tête ailleurs, elle est fort brillante et se concentre sur ce qui l'intéresse vraiment. Pour elle, pas question de résoudre des énigmes de salon comme ses prédécesseurs; elle se rend sur le terrain, au cœur de l'action. Armée d'une bonne dose d'humour, elle mène ses enquêtes avec audace, minutie et détermination. Elle demande souvent l'aide du lieutenant de police de Santa Teresa. Ils s'entendent à peu près aussi bien que chien et chat, mais il est toujours prêt à lui apporter son aide.

EN PRIME

● Sauras-tu reconnaître les traits caractéristiques de ces détectives? Mets tes connaissances à l'épreuve dans la fiche 70.

Alex et les Cyberpirates

Quelqu'un a piraté le réseau informatique du ministère de l'Éducation. Alex est injustement accusé de ce piratage. En quête de solutions pour résoudre cet épineux problème et prouver son innocence, Alex cherche à s'allier à son ami Sébastien.

Je pensai aux événements récents et une idée me vint.

— Tu connais Philippe? dis-je. Tu sais, le type qui est revenu aux études.

— Ouais, pourquoi?

Je racontai à Sébastien ma rencontre avec Philippe au centre commercial et comment j'avais échappé au policiers.

— Wow! Alex, tu es un vrai détective!

— Épargne-moi tes sarcasmes, s'il te plaît. En y repensant, je trouve plutôt bizarre qu'il se soit trouvé là, et précisément à ce moment-là. On dirait qu'il savait que, tôt ou tard, je me retrouverais aux Galeries Laurentiennes et qu'alors il n'aurait plus qu'à appeler les policiers. Tu le connais, toi?

— Pas vraiment... J'ai dû lui parler quelques fois au labo d'informatique. Je le trouve plutôt agaçant, en fait. Ce gars-là sort de nulle part, il arrive quand la session est presque finie et il pose des questions à tout le monde. À part le fait qu'il t'ait dénoncé à la police, tu as des raisons de te méfier de lui?

— Je me demandais, je veux dire... C'est peut-être lui le pirate.

— C'est possible. D'un autre côté, il n'était pas encore au collège le mois passé, quand le site du Ministère s'est fait pirater la première fois. À moins qu'il n'y ait pas de lien entre les deux tentatives.

— Ça se peut, dis-je. La première tentative aurait été faite par un pirate informatique, juste pour le défi. Philippe, voyant que le réseau du gouvernement n'est pas sans faille, aurait eu l'idée d'y pénétrer lui aussi, mais cette fois avec des intentions moins louables.

— Le hic, c'est que les copies d'examens qui auraient dû le rendre riche se sont retrouvées dans ta case. Ce n'est donc pas non plus l'argent qui le motivait.

— Ça, c'est l'élément qui embrouille tout. Peut-être a-t-il eu peur d'être découvert. Mais alors, pourquoi se donner le mal de cacher ces documents? Il aurait été plus simple de les détruire. Je reviens toujours à la même conclusion : le véritable but de ce pirate, c'est de me compromettre, moi.

— Tu sais, Alex, reprit Sébastien, peut-être qu'on ne cherche pas de la bonne façon.

— Qu'est-ce que tu veux dire?

— Le coupable n'est pas toujours celui qu'on croit. Il faut se demander : à qui le crime profite-t-il? […] Même si ton histoire a l'air bizarre, dis-toi qu'elle ne l'est pas. Il y a une explication à tout, il suffit de poser les bonnes questions.

— Tu parles comme mon prof de philo. Les seules questions qui me viennent à l'esprit pour le moment concernent Philippe. Il faudrait avoir accès à son dossier au collège, peut-être qu'on y trouverait un indice. Par exemple, pourquoi a-t-il changé d'école? Si jamais c'est lui le pirate, quel est son but?

— Il pouvait être sur le point de se faire prendre à son ancien collège, alors il aurait préféré changer d'air. Peut-être qu'il vise juste à faire une action d'éclat. Pour se faire remarquer.

— Que veux-tu dire au juste?

— C'est la criminalité de l'avenir. Il y a déjà toute une industrie de la fraude informatique. Des pirates informatiques volent des bases de données complètes sur des sites de commerce électronique, puis utilisent frauduleusement les numéros de cartes de crédit qu'ils ont recueillis, ou encore ils font chanter les administrateurs des sites. Il y a aussi le très lucratif domaine de l'espionnage industriel. Des tas de pirates informatiques ne cherchent qu'à faire des actions d'éclat, juste pour se faire remarquer de la mafia, parce qu'il y a des millions à faire là-dedans.

— Holà! Je pense que tu as trop regardé de films de bandits à la télévision.

— Je ne regarde jamais de films à la télé. Juste des infos. Si tu t'informais plus toi-même, tu comprendrais mieux le monde dans lequel tu vis!

Sébastien est doué pour l'exagération. […]

— Il faut que j'aille à mon rendez-vous avec la journaliste, dis-je en me levant. Dis-moi, Sébastien, tu serais capable d'aller faire un tour dans l'ordinateur du collège?

— Pour y faire quoi? répondit mon ami, sourire aux lèvres.

— Vérifier des trucs au sujet de Philippe. Peut-être essayer d'accéder à ses fichiers personnels dans le réseau. Chercher des indices, quoi.

— Tu oublies que le réseau du collège est protégé par le meilleur logiciel contre le

piratage qui existe, celui d'ARC. Il faudrait le faire sur place, de l'intérieur.

— Ah, bon. Au fait, tu sais que c'est la Nuit de la philosophie, ce soir?

— Ouais, et alors?…

— Ça veut dire que les portes du collège vont être ouvertes toute la nuit.

— À quoi penses-tu, au juste? Tu ne veux tout de même pas y aller cette nuit?

— Je pense surtout que je n'ai pas de temps à perdre. Il faut que quelque chose se passe et vite.

— Tu es fou! Le collège va être surveillé! Et puis, tu ne sauras pas t'y prendre, de toute façon. Laisse-moi t'accompagner, au moins.

Sébastien semblait prêt à tenter le coup. Et je savais que sans lui, je n'arriverais à rien.

— Tu finis de travailler à vingt et une heures, c'est ça? Alors on se retrouve à vingt-deux heures devant chez toi.

Extrait de *Alex et les Cyberpirates* de Michel Villeneuve, Collection ATOUT, Éditions Hurtubise HMH, Montréal, 2001.

EN PRIME

• À l'aide de la fiche **71**, montre comment Alex entreprend son enquête en vue de prouver son innocence et de découvrir la vérité.

mordicus

Volume 3, numéro 9

DOSSIER
Raconte-moi
une histoire !

Se serrer les coudes
**Tisser
la solidarité**

Faire la paix
**Construire
la paix aujourd'hui**

Lettre ouverte
**Ça ressemble à... ou
l'art de la comparaison**

Section grammaticale
**Cultiver son
champ... lexical**

Sommaire

Volume 3, numéro 9

PROJET

Boîte aux lettres

Le livre ou le film ?

Après avoir lu les extraits de *Billy Elliot* et de *La championne*, nous avons eu un débat en classe : vaut-il mieux lire le livre avant de voir le film ou l'inverse ? Moi, je suis de l'avis des élèves qui préfèrent lire le livre en premier. Nous estimons que le livre donne plus de détails que le film. Ainsi, quand on regarde le film, on comprend mieux l'histoire. Les autres préfèrent voir le film d'abord parce que cela leur permet de mieux imaginer les personnages et les lieux.

Ibra

Savais-tu que dans notre équipe aussi, les avis sont partagés ? Par contre, tous sont d'avis que c'est très bien ainsi !

Avis aux intellos

Je vous écris pour vous dire que le sujet du dossier dans le numéro 8 ne me plaisait guère au départ. Dans ma classe, on m'appelle l'« intello » et je suis fier de mon surnom. Mais je me suis laissé séduire par le jeu de ballon proposé par une équipe. Depuis que j'ai découvert ce jeu, j'y joue au moins une fois par semaine dans la cour de l'école.

Jérôme

Bravo Jérôme, tu as fait preuve d'une grande ouverture d'esprit en participant à une activité physique, toi qui t'intéresses surtout aux jeux d'esprit.

Pensées savoureuses

Je m'amuse maintenant à trouver des significations à des sigles ou à des acronymes. Parfois, mes parents me donnent un coup de pouce et je conserve mes meilleures créations dans mon ana. De temps en temps, je demande à mes amies de deviner le sens de ces mots.

Carla

Félicitations pour ton initiative, Carla !

★ Et toi, que retiens-tu du numéro 8 ? Quelles activités t'ont plu ? Pourquoi ? Quels défis as-tu relevés ? Qu'as-tu appris ?

Avant d'entreprendre le numéro 9, fais le point sur tes apprentissages.

Éditorial

L e meilleur de soi-même, quand on le donne

E st-ce qu'on vit mieux avec soi et avec les autres ?

M élanie, la jeune amie de mademoiselle Morgane, dirait oui.

E t Céline, et Rodolphe et tous leurs camarades de classe aussi.

I ls ont tendu la main et récolté des sourires tout plein.

L 'entraide donne des ailes. Ça te dit de déployer les tiennes ?

L es occasions ne manquent pas dans ce numéro. À toi de les attraper au vol.

E ncourager, épauler, coopérer, partager pour bâtir et construire

U n monde meilleur, un monde serein, un monde unique au monde

R iche de toi, riche de nous tous.

D ans ce numéro, le meilleur de toi, tu pourras aussi le donner

E n jouant les conteurs, en captivant tes auditeurs et
en dévoilant tes valeurs.

S i, en plus, tu aimes les mots, si acquérir des connaissances

O u jouer avec la langue t'inspire,

I l est grand temps de partir.

La rédactrice en chef, au nom de toute l'équipe

Soutenir la COMPARAISON

COMPARAISON n. f. – Figure par laquelle on compare un élément à un autre. *Léger comme une plume* est une comparaison fréquente dans la langue courante.

Dictionnaire CEC intermédiaire, Les Éditions CEC inc., 1999.

CONNAISSANCE
É L O

Pour établir des comparaisons, on se sert souvent du mot *comme*. Mais d'autres mots ou expressions permettent également de créer des rapprochements entre deux éléments. Les plus courants sont:

- les adjectifs *pareil*, *tel* et *semblable*;

- les verbes *paraître*, *sembler* et *ressembler*;

- les expressions *moins... que*, *aussi... que*, *plus... que*, *ainsi que* et *de même que*.

«Ça ressemble à...», «c'est comme...» «c'est pareil à...». Combien de fois recourt-on à de telles expressions pour expliquer ce qu'on a vu, entendu, senti, goûté ou touché? Il n'y a pas de doute, la **comparaison** parsème nos conversations de tous les jours.

1 Il y a des comparaisons tellement courantes que tu les emploies sans même t'en rendre compte. Pour t'en assurer, complète les expressions qui suivent.

a) s'entendre comme chien et ▢

b) croire dur comme ▢

c) rire comme un ▢

d) répéter comme un ▢

e) bête comme ses ▢

f) fraîche comme une ▢

g) libre comme l'▢

h) simple comme ▢

i) sourd comme un ▢

j) rouge comme une ▢

2 Faites travailler votre imagination en créant des **comparaisons** à partir des adjectifs suivants.

Ex.: Beau, belle → aussi belle qu'un ciel d'été

a) beau, belle

b) courageux, courageuse

c) curieux, curieuse

d) doux, douce

e) drôle

f) gourmand, gourmande

g) immense

h) intelligent, intelligente

i) méchant, méchante

j) triste

3 Comment as-tu procédé pour trouver des comparaisons ?

4 Invente des comparaisons farfelues en combinant à ta guise les expressions de la fiche **72**. Conserve tes meilleures trouvailles dans ton ana.

5 À partir des expressions de la fiche 72 et, si tu veux, de tes propres créations, crée un court texte rigolo. Tu peux t'inspirer du texte qui suit.

SOS

Pour inventer des comparaisons, associe des adjectifs à des humains, des animaux, des parties du corps, des objets, des couleurs, des phénomènes naturels, etc.

ℰomme quoi...

Il écrivait comme un chat, nageait comme un canard, dormait comme une marmotte, mais il était malheureux comme les pierres.

Elle mangeait comme un oiseau, pleurait comme un veau, travaillait comme un bœuf, mais elle était malheureuse comme les pierres.

Ils se sont croisés et depuis ils sont heureux comme des poissons dans l'eau.

Si ton texte te plaît, conserve-le dans ton ana.

Je suis fort comme un boeuf!

Je suis malin comme un singe!

Je suis heureux comme un poisson dans l'eau!

EN COLLABORATION

Des scientifiques l'ont démontré : coopérer déclenche une réaction de joie, coopérer fait du bien. Alors, qu'est-ce que tu attends pour te faire plaisir ?

1. Toi, qu'est-ce que cela t'apporte de coopérer ? Note par écrit tes réflexions à partir des questions suivantes.

   a) Dans quelles situations aimes-tu coopérer ?

   b) Quelles tâches préfères-tu réaliser en coopération ?

   c) Quels comportements adoptes-tu pour favoriser le travail coopératif ?

   d) Quels bienfaits retires-tu de la coopération ?

2. Fais équipe avec trois autres élèves et mettez vos réflexions en commun.

3. Durant la mise en commun, as-tu fait part de tes idées ? As-tu bien écouté les propos des autres ?

4. Choisissez un ou une porte-parole qui résumera les propos de votre équipe à la classe.

5. Coopération rimera avec satisfaction si on conjugue ces mots avec la confiance, le respect, l'entraide et l'engagement. Définissez ces quatre termes en équipe.

   a) Exprimez les mots auxquels ces valeurs vous font penser.

   b) Donnez des exemples de comportements qui reflètent ces valeurs.

   c) Complétez votre travail à l'aide de la fiche **73**.

6. Prépare une fiche aide-mémoire qui te rappellera les comportements à adopter dans le travail d'équipe.

EN PRIME

- Invente un logo ou fais un dessin pour illustrer les valeurs de la coopération.

HISTOIRE À LA QUEUE LEU LEU

Tu veux rire un bon coup? Invente de toutes pièces une histoire rocambolesque.

Joins-toi à trois élèves.

1. Découpez les étiquettes de la fiche **74** et placez-les dans une enveloppe.

2. Choisissez un objet comme un crayon ou une gomme à effacer. Cet objet circulera entre les joueurs tout au long du jeu et indiquera qui a la parole.

3. Lisez les consignes.

   a) Tirez au sort l'élève qui commencera l'histoire.

   b) Après avoir tiré une étiquette de l'enveloppe, celui-ci ou celle-ci dispose de 30 secondes pour commencer une histoire de son cru dans laquelle le mot tiré doit apparaître.

   c) Après ce délai, l'élève s'arrête et passe la parole à un ou une partenaire en lui remettant l'objet retenu par l'équipe.

   d) Le jeu se poursuit exactement de la même façon avec ce joueur ou cette joueuse, qui tire à son tour un mot et poursuit l'histoire pendant 30 secondes.

   e) Le dernier joueur ou la dernière joueuse conclut l'histoire.

4. Maintenant, à vous de jouer!

5. As-tu respecté les règles établies?

6. Le fait de tirer un mot t'a-t-il facilité la tâche? Pourquoi?

EN PRIME

• Pour faire rimer *base de données* avec *créativité*, demande la fiche **75**.

Qu'est-ce qui est jaune et qui court vite ?

Un citron pressé.

Tac Tic

JOUER À CACHE-CACHE

Explore les possibilités de ton logiciel de traitement de texte en créant un recueil de devinettes électronique.

Pour rédiger une bonne devinette, il faut attirer l'attention des lecteurs sans dévoiler la solution. En plaçant la réponse de ta devinette dans un fichier caché, tes lecteurs pourront y avoir accès en cliquant sur leur souris.

Voici comment t'y prendre.

1. Divise une feuille en deux colonnes.

2. Dans la première colonne, écris la devinette. Dans la seconde, écris la réponse.

   Ex. :

Devinette	Réponse
Quel insecte gagne toutes les courses ?	Le pou, parce qu'il est toujours en tête !

3. Suis les consignes de la fiche **76** afin de créer des fichiers cachés.

4. Copie tes devinettes sur une disquette que tu peux apporter en classe ou offrir à quelqu'un.

5. Dans quelles autres situations peux-tu utiliser des fichiers cachés ?

SOS

En panne d'inspiration ? Consulte des sites Web qui proposent des devinettes ou des énigmes. Demande les adresses de ces sites à ton enseignant ou ton enseignante.

Se serrer les coudes

On est riche surtout de l'or qu'on a donné, a dit le poète français Émile Deschamps. Autrement dit, on se sent souvent fiers et comblés quand on vient en aide aux autres. Que dirais-tu de rencontrer des personnages qui ont donné le meilleur d'eux-mêmes et qui s'en sont trouvés enrichis ?

Il faut plus d'une pomme
Pour emplir un panier.
Il faut plus d'un pommier
Pour que chante un verger.
Mais il ne faut qu'un homme
Pour qu'un peu de bonté
Luise comme une pomme
Que l'on va partager.

Maurice Carême, *La lanterne magique*
© Fondation Maurice Carême. Tous droits réservés.

EN CHŒUR 1

Exprimer son point de vue sur les motivations des personnages. L A

EN CHŒUR 2

Reconnaître les émotions des personnages. L A

EN CHŒUR 3

Rédiger des billets d'entraide pour les personnes de son entourage. É

EN CHŒUR 1

Depuis que Céline a vu un reportage à la télé, elle est habitée par une idée : **parrainer** un enfant vivant dans une région pauvre du monde pour lui permettre d'aller à l'école.

1. Pour connaître le projet de Céline, rejoins-la dans la cour de son école (p. 209-211).

2. Note tes premières réactions dans ton carnet de lecture.

   a) Pourquoi Céline veut-elle à tout prix parrainer un enfant ? Qu'est-ce qui la motive ?

   b) Qu'est-ce qui motive Rodolphe à participer à ce projet ?

   c) Qu'est-ce qui pousse les camarades de Céline à appuyer son projet ?

3. Pour mieux saisir les motivations des personnages, examine le texte de plus près à l'aide de la fiche **77**.

4. Revois ce que tu as écrit dans ton carnet de lecture. As-tu toujours le même point de vue ?

5. Comment les données du texte, combinées à tes connaissances et à tes expériences personnelles, t'ont-elles permis de comprendre les motivations des personnages ?

6. Participe à la mise en commun.

   a) En quoi le projet de Céline a-t-il aidé ses camarades à se sentir utiles, à éprouver de la fierté ?

   b) Comment Marcellin a-t-il profité de l'aide de Céline et de ses camarades ? Qu'est-ce que cela lui a apporté ?

STRATÉGIE

L **A**

Pour saisir les motivations d'un personnage, tu dois :

- lire entre les lignes, c'est-à-dire savoir ce que l'auteur ou l'auteure n'a pas exprimé clairement par écrit ;

- établir des relations entre les indices donnés dans le texte, tes connaissances et tes expériences personnelles.

EN PRIME

- L'*Opération Marcellin* a connu son lot de difficultés. Pour connaître tous les détails de cette histoire, cours emprunter le livre à la bibliothèque.

Opération Marcellin

*Céline doit se rendre
à l'évidence : elle ne peut
réunir la somme mensuelle
nécessaire au parrainage
d'un enfant. Rodolphe,
son meilleur ami, lui propose
de demander la collaboration
de leurs camarades de classe.
Les voilà tous réunis dans
la cour de l'école.*

« **Dis**, Rodolphe, tu veux bien prendre la parole ?

— Mais, c'est ton idée, Céline.

— S'il te plaît. »

Je dois avoir l'air désemparée.

« Bon, d'accord, Céline. »

Les voilà au complet. Pierrot et sa bouille de clown, Karine et sa frimousse de chat, Loïc et sa casquette… et, derrière les autres, un peu caché, mais je le devine, Maxime.

Rodolphe s'éclaircit la voix.

« Céline a un projet à vous exposer. »

Et alors, mes oreilles se ferment, je n'entends plus rien, sinon mon cœur qui cogne. […] Comme dans un rêve, je vois les yeux de Karine s'arrondir de surprise, le visage de Pierrot devenir presque grave et surtout Moulinette, figée, muette. Et ça, c'est un signe.

Rodolphe a fini.

« Quel âge aura-t-il ? » La question de Moulinette me sort de mon rêve. J'ai toujours la gorge nouée et n'arrive pas à répondre. Rodolphe s'en charge.

« Il ou elle, remarque-t-il. Peut-être notre âge, peut-être plus. Cela dépend. »

Alors, soudain, sous le tilleul, un essaim d'abeilles bourdonne. Moulinette étant, bien sûr, la reine. Tous mitraillent Rodolphe de questions.

« Nous serions parrains d'un enfant plus vieux que nous?

— D'un enfant du bout du monde?

— Il sera donc notre filleul? »

Leur intérêt me redonne espoir. Rodolphe reprend ses explications.

« Nous serions ses parrains ou si vous préférez notre classe sera sa marraine. D'où le nom d'*Opération Parrainage*. Parrainer un enfant du tiers monde, c'est participer à son alimentation, sa santé, et lui permettre surtout d'aller à l'école.

— Combien faut-il donner?

— Trois cents francs par mois. C'est facile, nous sommes trente.

— Cela fait dix francs chacun! s'écrie Pierrot. Ce n'est pas le bout du monde.

— Surtout quand c'est pour le bout du monde », gazouille Moulinette.

À présent, ils ont l'air enthousiastes.

« Moi, dix francs, je ne peux pas, déclare tout à coup Loïc. Je n'ai pas d'argent de poche.

— Moi non plus », ajoute Élodie.

Rodolphe réfléchit.

« Écoutez, si vous voulez, le week-end, parfois, je nettoie les pare-brise des voitures sur le parking devant chez moi, vous viendrez avec moi. »

Ouf. Ils ont l'air d'accord. […]

L'Opération Parrainage a été baptisée « Opération Marcellin », du nom de l'enfant parrainé. Comme Marcellin n'est jamais allé à l'école, c'est l'organisme qui s'occupe de lui qui a entretenu une correspondance avec Céline et ses camarades tout au long de l'année scolaire. Dans la dernière lettre, l'organisme annonce à Céline et à ses camarades qu'ils recevront une surprise avant la fin de l'année scolaire. Ce matin, à son arrivée à l'école, Céline apprend qu'une lettre leur est adressée.

Mon cœur se met à battre la chamade. Et si c'était la surprise?

Ils nous attendent tous, sous le tilleul qui embaume. Kassel, la lettre à la main, me sourit. C'est la surprise, j'en suis sûre.

« À toi l'honneur, Céline! » Tous les copains m'entourent. Karine, Loïc, Pierrot… et même Maxime. Mes mains tremblent un peu. Fébrilement, je déchiquette l'enveloppe. À l'intérieur, une grande feuille se déplie en papillon. Un dessin aux couleurs éclatantes occupe toute la place. Un grand dessin représentant une école entourée de bananiers, de cocotiers… Dans la cour au goudron flambant neuf, aux troncs d'arbre en guise de bancs, entourés d'oiseaux, plein d'enfants jouent à la balle, à la corde, au cerceau…

C'est un véritable tableau haïtien, avec tant de détails, tant de gaieté! J'ai envie de pleurer de bonheur. Au premier plan, devant un mini-orchestre de tam-tams, un écolier en chemise à carreaux bleus, radio rose pétard en bandoulière, nous sourit.

En dessous, d'une main malhabile qui apprend à écrire, ces deux lignes :

« *Pour mes amis de France, j'ai dessiné mon école.* »

Et c'est signé : « *Marcellin* ».

Je sens mon cœur rougir de plaisir. J'ai la gorge nouée. Les copains, autour de moi, aussi.

Puis, soudain, sous le tilleul, éclatent un feu d'artifice, une hilarité générale. Les voilà devenus ressorts, élastiques… pop-corn : fous de joie, ils sautent, explosent dans tous les sens.

Je n'entends plus les hourras autour de moi. Leurs rires m'arrivent en écho, un peu lointains. Je reste seule avec Rodolphe, au milieu de la cour. Son regard m'enveloppe, plus complice, plus chaleureux que jamais. Son regard dont j'ai tant besoin, qui me touche tant.

« Tu es contente ? » me demande-t-il tout bas.

Je suis trop émue, trop heureuse pour pouvoir répondre, pour lui rendre son sourire. Je sens qu'il pleut tout à coup dans mes yeux. Une pluie chaude comme celle des pays tropicaux. Une pluie que je ne peux contrôler.

Alors, tout doucement, Rodolphe enroule ses bras autour de mon cou et, plus doucement encore, il dépose un bisou sur ma joue.

Ma joue à la peau noire, noire !

Noire comme celle de Marcellin,

Noire comme celle de tous les Haïtiens,

Ma joue noire…
de petite Haïtienne
adoptée voilà bientôt dix ans.

Claire Mazard, *Opération Marcellin* © Éditions Nathan/VUEF (Paris-France), 2002.

EN CHŒUR 2

On peut aider quelqu'un à l'autre bout du monde ou tout près de chez soi. Pour Mélina, aider signifie mettre de la couleur dans la vie de sa nouvelle voisine, mademoiselle Morgane.

1. Avant de lire l'extrait du roman, fais connaissance avec les principaux personnages.

MADEMOISELLE MORGANE

- ▶ Nouvelle voisine de Mélina.
- ▶ Âge : ni très jeune ni très vieille.
- ▶ Dans sa maison, tout est gris.
- ▶ Elle lutte contre la maladie d'Alzheimer. Quand une personne est atteinte de cette maladie, elle n'arrive plus à se souvenir et à apprendre comme elle en était capable autrefois.

MÉLINA

- ▶ Elle accueille sa nouvelle voisine dès son arrivée.
- ▶ Âge : aux alentours du tien.
- ▶ Sa maison est colorée.
- ▶ Chaque jour, elle visite mademoiselle Morgane.

LA FAMILLE DE MÉLINA

- ▶ Sa mère chante tout le temps.
- ▶ Son père sifflote sans arrêt.
- ▶ Sa sœur Émilie bavarde comme une pie.
- ▶ Son frère Jean imite le chant des oiseaux.
- ▶ Bébé Chloé fait des « euh » et des « ah ».
- ▶ Le chien Summer et le chat Frisson complètent la famille.

2. Retrouve Mélina quand elle fait la connaissance de mademoiselle Morgane et vois comment elle s'y prend pour mettre de la couleur dans sa vie (p. 214-215).

3. Joins-toi à un ou une camarade pour discuter du texte.

   a) Que pensez-vous de Mélina?

   b) Comment expliquez-vous les réactions de mademoiselle Morgane?

4. Pour mieux saisir les émotions ressenties par mademoiselle Morgane, faites l'activité de la fiche 78.

5. Participez à la mise en commun à l'aide des questions suivantes.

   a) Que savez-vous de plus sur mademoiselle Morgane?

   b) Pourquoi vit-elle toute cette gamme d'émotions?

   c) Qu'est-ce qui a changé chez mademoiselle Morgane depuis que Mélina a décidé de mettre de la couleur dans sa vie?

   d) Avez-vous déjà mis de la couleur dans la vie d'une personne? En quoi les émotions que vous avez ressenties ressemblaient-elles à celles de Mélina et de sa famille?

6. Mélina et Céline ont, chacune à sa manière, ensoleillé la vie d'une personne. Les émotions qu'elles ont ressenties sont-elles semblables ou différentes? Note tes réactions dans ton carnet de lecture.

7. Comment as-tu procédé pour comparer les émotions des deux héroïnes des extraits que tu as lus?

STRATÉGIE
L A

Pour saisir les émotions d'un personnage:

- cherche dans le texte les manifestations physiques qui traduisent ses émotions;

- examine les descriptions et les dialogues;

- tire ta propre signification de ces renseignements en les reliant à tes connaissances et à tes expériences personnelles.

EN PRIME

- Mélina et sa famille réservent d'autres surprises à mademoiselle Morgane. Pour connaître toute l'histoire, emprunte le livre à la bibliothèque.

La mémoire de mademoiselle Morgane

Une voisine bien étrange s'est installée en face de chez Mélina.
Elle prétend n'avoir qu'une demi-tête et avoir perdu l'autre moitié !
Mélina, elle, pense qu'il manque juste un peu de couleur dans la vie de sa voisine.

Une nouvelle voisine a emménagé devant chez moi hier matin. En fin d'après-midi, j'ai cueilli quelques fraises bien rouges dans notre jardin et je les ai déposées dans un mignon panier. J'ai aussi choisi un joli papier sur lequel j'ai écrit « BIENVENUE ! » en grosses lettres dorées.

Chaque fois qu'un nouveau voisin arrive dans les parages, je cours l'accueillir. J'aime bien me faire de nouveaux amis. Et je suis un peu curieuse, aussi… Mon panier sous le bras, j'ai traversé la rue et j'ai frappé à la porte de la petite maison grise. Une dame est venue ouvrir. Une dame ni très jeune ni très vieille. Ni jolie ni laide. Une dame au dos voûté, aux épaules semblant davantage attirées vers le sol que vers le ciel. Mais surtout, une dame qui ne sourit pas.

— Bonjour, madame…

— Mademoiselle, a-t-elle coupé, un peu crispée. Mademoiselle Morgane.

J'ai été surprise par la froideur de ma nouvelle voisine, mais je ne l'ai pas montré. Je lui ai fait mon plus beau sourire et j'ai poursuivi gentiment :

— Je viens vous souhaiter la bienvenue dans le quartier.

Alors, mademoiselle Morgane s'est penchée vers moi. Elle n'a pas souri, seul un petit éclair a brillé dans ses yeux gris. Il est passé très vite, mais j'ai tout de même eu le temps de le voir. Puis elle a murmuré en prenant mon panier :

— C'est très gentil, petite. Mais mieux vaut te prévenir : demain matin, je ne me souviendrai plus de toi. Je t'aurai sûrement oubliée.

Et sans rien ajouter, elle a refermé la porte.

[…]

Mélina rend visite à mademoiselle Morgane chaque jour. Elle ne sourit toujours pas, mais parfois ses épaules se redressent un peu et son visage s'éclaire. Un beau dimanche, les parents de Mélina lui proposent d'inviter mademoiselle Morgane à aller pique-niquer en famille. Elle accepte de se joindre à eux.

Nous arrivons dans un grand parc. Pendant que nous déchargeons la voiture, maman déplie les couvertures sous un arbre immense. La journée est superbe, le soleil, éclatant. J'ai un peu peur pour mademoiselle Morgane. Elle est si habituée à tout ce gris de sa maison que je crains que le jaune lumineux du soleil, le vert tendre des arbres et le doux bleu du ciel ne l'effraient. Mais, au contraire, elle semble plutôt bien.

Bébé Chloé se roule dans l'herbe en riant, Émilie et Jean ont inventé un jeu de ballon qui leur permet de courir comme des fous, mademoiselle Morgane est assise et regarde tout cela avec de grands yeux étonnés, et moi, je suis heureuse.

Tout à coup, un joli papillon jaune et noir se met à tourner autour de nous, voletant légèrement au-dessus de nos têtes. Il agite ses petites ailes en direction de mademoiselle Morgane et lui effleure l'épaule. Ma voisine semble émerveillée: l'élégant papillon virevolte autour d'elle, la frôle, doux comme une caresse. Il l'a adoptée. Émue, mademoiselle Morgane sourit… Un sourire qui éclate soudain dans son visage et semble la rajeunir. Elle murmure:

— Quel superbe… superbe…

Mais mademoiselle Morgane a oublié le mot. Son visage se referme. Ses épaules retombent. Un éclair de panique traverse ses yeux gris, qui s'emplissent de larmes, et ses sourcils se froncent. Le papillon cesse d'agiter ses ailes jaunes et se pose sur l'épaule de mademoiselle Morgane. Celle-ci le regarde attentivement et s'écrie:

— Quel superbe PAPILLON! Oui, quel superbe PAPILLON!

Et elle éclate de rire, toute fière, heureuse que sa tête soit revenue de sa balade. Elle rit, et je n'ai jamais entendu un rire si beau. Comme si elle n'avait pas ri depuis longtemps et que le barrage cédait tout à coup.

Mon frère et mes sœurs ont arrêté leurs activités et se sont rapprochés. Papa et maman restent aussi immobiles. Un papillon jaune et noir est posé sur l'épaule d'une dame qui rit, qui rit à n'en plus finir et qui répète, les larmes aux yeux:

— Quel superbe PAPILLON!

À mon tour, j'essuie quelques larmes. Gênée, je regarde furtivement ma famille… pour me rendre compte que le rire de mademoiselle Morgane a le même effet sur chacun de nous: plus mademoiselle Morgane rit, plus nous pleurons de bonheur, d'émotion. Je me lève et cours vers mademoiselle Morgane. Effrayé, le papillon s'envole. Je serre ma voisine dans mes bras très fort, et je lui dis:

— Oui, vraiment, c'est le plus beau des papillons!

Martine Latulippe, *La mémoire de mademoiselle Morgane*, Dominique et compagnie, 2001. Illustratrice (pour l'édition originale) Paule Thibault.

EN CHŒUR 3

Il existe une foule de petites façons d'aider quelqu'un. En voici une qui devrait plaire aux personnes de ton entourage : leur offrir des billets d'entraide.

1. Quelles personnes pourrais-tu aider ? Comment peux-tu leur donner un coup de main ? Fais part de tes idées à la classe. Au besoin, inspire-toi du tableau ci-dessous.

Dans ma famille	Dans ma classe ou à l'école	Dans mon voisinage
• Aider ma mère à ranger l'épicerie. • Aider ma petite sœur à faire ses devoirs.	• Transporter les livres d'une ou d'un élève handicapés. • Écouter les confidences d'un ou d'une camarade.	• Déblayer la cour des voisins. • Porter les sacs d'épicerie d'une personne âgée.

2. Choisis deux personnes à qui tu aimerais apporter ton aide.

3. Rédige deux billets d'entraide à l'aide de la fiche **79**.

4. Échange ton brouillon avec un ou une de tes camarades. Révisez mutuellement vos textes en vous servant de la grille de la fiche **80**.

5. Quels outils utiliseras-tu pour corriger les textes de ton ou ta camarade ?

6. Reprends tes textes et corrige-les. Au besoin, demande des précisions au réviseur ou à la réviseure.

7. Comment l'aide de ton ou ta camarade a-t-elle contribué à améliorer ton texte ?

8. Transcris lisiblement le texte de tes billets. Tu peux joindre tes billets à des cartes de vœux avant de les remettre aux personnes concernées.

DOSSIER Raconte-moi une histoire !

Bien avant qu'on sache lire et écrire, les histoires étaient transmises par la parole. Ces récits oraux étaient colportés par les voyageurs, les marins et les marchands.

Encore aujourd'hui, dans certains pays, des conteurs se produisent sur la place publique. Plus près de nous, on organise des spectacles et des festivals réunissant des conteurs amateurs et professionnels.

Voici notre proposition : présenter un conte dans le cadre d'un festival que tu organiseras avec tes camarades de classe.

Voici le parcours que nous te proposons pour réussir cette fête.

Tour de piste
- Lire des contes et en analyser un pour préparer sa participation au festival.
- Former une équipe et choisir un conte.
- Exprimer des idées pour la présentation du conte.

Chacun son rôle
- Préciser le contenu de la présentation de l'équipe.
- Partager les tâches entre les membres de l'équipe.
- Rassembler le matériel nécessaire.
- Réaliser les tâches.

Mise en scène
- Planifier la mise en scène de la présentation.
- Faire une répétition.

Le lever du rideau
- Présenter sa production.
- Évaluer la démarche et les résultats.

Tour de piste

1 Quel public aimerait participer à votre festival : les élèves de l'école, une classe en particulier, vos parents ?

2 Quand le festival aurait-il lieu ?

3 À quel endroit pourrait-il se tenir : à l'école, au centre communautaire ou culturel, à la bibliothèque municipale ?

4 Prévoyez la durée maximale de votre spectacle et de chacun des numéros qui le composeront. S'il dure plus de quarante-cinq minutes, prévoyez un entracte.

5 En vue de trouver des idées pour le festival du **conte**, fais part à la classe :

a) des contes que tu aimes ou que tu as aimés dans ton enfance ;

b) des types de contes que tu connais ;

c) des types de personnages qu'on trouve dans les contes ;

d) des personnages que tu préfères ;

e) des éléments merveilleux ou magiques à la base de nombreux contes ;

f) des lieux où se déroulent ces histoires ;

g) des morales qu'on peut en tirer.

CONTE n. m. – Récit d'aventures imaginaires. *L'histoire de Blanche-Neige est un conte qui ravit toujours les enfants.*

Dictionnaire CEC intermédiaire, Les Éditions CEC inc., 1999.

6 Quel type de conte aimerais-tu présenter au festival ? Pour guider ton choix, lis la description des quatre types de contes dans l'encadré *C'est quoi, ton type ?*

C'EST QUOI, TON TYPE ?

Le **conte merveilleux** raconte l'histoire d'un héros ou d'une héroïne qui a une tâche à accomplir et où il y a toujours l'intervention du merveilleux : sorcières, dragons, objets magiques…

Le **conte de sagesse** aborde des sujets importants pour faire passer un message, une leçon de vie qui peut aider les auditeurs ou les lecteurs à réfléchir.

Le **conte d'explication** explique poétiquement l'origine d'un phénomène ou d'un fait naturel : l'alternance du jour et de la nuit, la longueur du cou de la girafe, etc.

Le **conte d'animaux** met en scène des animaux qui agissent comme des êtres humains mais qui gardent les comportements ou les traits de caractère attribués à leur espèce.

7 En t'appuyant sur le tableau suivant, choisis dans les fiches **81**, **82**, **83** ou **84** un conte correspondant au type que tu préfères.

Type de conte	Titre	Origine	Fiche
Conte merveilleux	*La sorcière des sables*	Afrique	81
	Le jeune homme qui avait fait un rêve	Asie	
Conte de sagesse	*Le meunier et son frère*	Québec	82
	Le Père de Noëlle	Québec	
Conte d'explication	*La mère*	Australie	83
	Les visiteurs	Afrique	
Conte d'animaux	*Chat et souris associés*	Allemagne	84
	Le renard et le chat	Allemagne	

8 Suis les indications contenues dans la fiche que tu as choisie.

9 Compare ton analyse avec celle de deux autres élèves.

10 Partagez vos découvertes avec les autres équipes.

11 Choisissez le conte que vous présenterez au festival.

a) S'agira-t-il du conte que vous avez analysé ou en chercherez-vous un autre ?

b) Si vous en choisissez un autre, chercherez-vous un conte du même type que celui que vous avez analysé ? Pourquoi ?

12 En quoi votre analyse pourrait-elle vous aider à mieux préparer votre présentation de ce conte ?

13 Revoyez vos défis personnels. Trouvez des moyens pour les relever dans ce projet-ci.

Chacun son rôle

1 Comment présenterez-vous votre conte ?

- Le lirez-vous ou le mémoriserez-vous ?

- L'accompagnerez-vous de musique ?

- Serez-vous costumés ?

- Utiliserez-vous des accessoires ?

2 Planifiez votre présentation en vous servant de la fiche 85.

3 Comment ta participation au sein de l'équipe a-t-elle contribué à faire avancer le projet ?

À l'écoute des pros

Des conteurs professionnels te parlent de leur manière de travailler. Lis leurs propos et vois comment tu peux bénéficier de leurs conseils.

Avant de raconter une histoire, je crée des images dans ma tête représentant le déroulement de l'histoire.

Avant d'entrer en scène, je chasse le trac en me concentrant sur ma préparation. Je marche ou je joue de la sanza, un instrument de musique africain traditionnel.

Quand j'entre en scène, j'introduis parfois l'histoire en dialoguant avec le public. Je mentionne l'époque où elle se passe ou je leur pose des questions : « Connaissez-vous… ? Avez-vous entendu parler de… ? ». Parfois, je commence directement, sans préambule.

Pour garder le public en haleine, il faut le laisser s'imaginer l'histoire. Souvent, je pose des questions aux gens : « Selon vous, que va-t-il se passer ? ». Plus le public entre dans l'histoire, plus il est captivé.

Pour être conteur, il faut trouver son style personnel et rester soi-même !

Marc Laberge

MARC LABERGE

Conteur et voyageur dans l'âme, Marc Laberge a parcouru le continent américain et participé à plusieurs festivals de conte à travers le monde.

Quand je connais l'histoire à raconter, je la répète une fois avant le spectacle. Si je raconte une nouvelle histoire, ça me prend environ deux semaines pour l'apprendre.

Avant d'entrer en scène, j'ai souvent le trac, mais c'est un stress positif. Il m'arrive de faire quelques pas de gigue pour me détendre !

J'entre en scène au son de la musique. Puis, je me rappelle le « squelette » de mon conte et j'improvise avec les mots qui me viennent à l'esprit. Si l'histoire est bonne, le public est toujours en haleine. Bien sûr, je joue avec les intonations de la voix, les gestes, les rimes et le rythme pour captiver le public.

Pour être conteuse, il faut surmonter sa gêne et la peur d'avoir l'air fou. Plus je m'éclate sur la scène, plus les gens en redemandent. Il ne faut raconter que les histoires que l'on aime. Il vaut mieux s'exercer plusieurs fois devant son miroir, ou devant son chat, avant d'affronter un public.

Renée Robitaille

RENÉE ROBITAILLE

Grande voyageuse, Renée Robitaille aime faire connaître les contes de son coin de pays, l'Abitibi-Témiscamingue.

Mise en scène

1 Comment se déroulera votre présentation? Puisez des idées dans les conseils des pros (p. 221).

- Comment introduirez-vous l'histoire?

- Que ferez-vous pour tenir votre public en haleine?

- Que ferez-vous pour maîtriser votre trac?

2 Préparez la mise en scène de votre conte. Qui fera quoi sur la scène? Où vous placerez-vous?

3 Avant la générale, faites une répétition devant une autre équipe de la classe pour avoir ses commentaires.

4 Prenez note des commentaires et déterminez les modifications à apporter.

5 Comment tes commentaires ont-ils été reçus? Comment as-tu réagi quand tu as reçu des commentaires?

STRATÉGIE

Pour faire des commentaires sans blesser les autres, tu dois:

- faire des suggestions sans imposer tes idées;

  Ex.: Dire «Tu pourrais...» au lieu de «Tu devrais...».

- soigner la façon de communiquer ce que tu as à dire;

- donner des exemples de ce que tu aimes et aussi de ce que tu aimes moins.

Le lever du rideau

1 Avant la présentation, dites un mot d'encouragement aux autres équipes.

2 Après la présentation, écris ton appréciation du festival sur la fiche **86**.

Faire la paix

Rares sont les gens qui aiment la guerre. Pourtant, beaucoup la font. Certains disent que faire la guerre est le seul moyen d'assurer la paix. Mais d'autres, de plus en plus nombreux, croient que la seule façon de vivre en paix, c'est de bâtir la paix jour après jour.

Toi, que fais-tu pour construire la paix aujourd'hui ? Et que feras-tu demain ? Voici l'occasion de t'y arrêter.

EN ACCORD 1

Utiliser les renseignements contenus dans un texte pour élargir sa conception de la paix. **L O**

EN ACCORD 2

Réagir à un poème sur la paix et donner son appréciation. **L A**

EN ACCORD 3

Écrire un poème pour le placer dans un livre d'or de la paix. **É**

EN ACCORD 1

Qui veut bâtir la **paix** doit agir au jour le jour. Toi, comment construis-tu la paix ?

> **PAIX** n. f. – Concorde, absence de conflit entre les personnes. SYN. harmonie. ANT. discorde.
>
> *Dictionnaire CEC intermédiaire,* Les Éditions CEC inc., 1999.

1. Note dans un schéma les moyens que tu prends pour construire la paix à l'école, dans ta famille, avec tes amis.

2. Fais part de tes idées à la classe, puis écoute celles de tes camarades. Enrichis ton schéma à partir des idées que tu juges intéressantes.

3. Pour découvrir d'autres moyens de bâtir la paix, lis le texte *La paix se construit à chaque instant* (p. 225-226).

4. Qu'est-ce que ce texte t'apprend ? Ajoute à ton schéma des éléments qui complètent tes idées ou qui les illustrent.

5. Les auteurs du texte ont imaginé une histoire illustrant comment la guerre peut commencer.

   a) Cette histoire te semble-t-elle plausible ? Pourquoi ?

   b) Comment cette guerre aurait-elle pu être évitée ?

   c) Connais-tu des gens autour de toi qui se comportent comme les personnages de cette histoire ? Si oui, pourquoi agissent-ils ainsi ?

6. Comment le texte a-t-il enrichi tes connaissances sur les moyens de construire la paix ?

7. Parmi tous les moyens relevés, lesquels t'apparaissent les plus facilement applicables ? Les plus difficiles à réaliser ? Pourquoi ?

8. Conserve ton schéma pour l'activité suivante (p. 227).

LA PAIX SE CONSTRUIT À CHAQUE INSTANT…

Beaucoup d'hommes savent que la paix n'est pas installée une fois pour toutes et pour toujours. Alors ils réfléchissent à tout ce qu'il faut faire pour la construire et pour que la guerre ne revienne pas.

La paix peut se construire partout, tout le temps. Elle se construit quand on apprend l'histoire du monde, quand on discute avec ceux qui ont des idées différentes, quand on réagit devant des injustices.

Des petits se font racketter à l'école par des grands. Un élève va voir le directeur pour arrêter ce racket: cet élève, en ne fermant pas les yeux sur ce qui se passe, en réagissant, construit la paix. *Le directeur trouve ceux qui font le racket, les punit et leur explique pourquoi ils sont punis:* il construit la paix.

Un article paraît dans le journal pour proposer d'interdire l'entrée des cinémas à ceux qui ne sont pas français. Des milliers de gens réagissent et écrivent des articles pour expliquer qu'ils ne sont pas d'accord: ils aident à construire la paix.

Les chefs de toutes les religions du monde se réunissent pour parler de ce qu'ils ont en commun, de tout ce qui se ressemble dans leurs croyances, de l'importance de la vie. Ils montrent qu'on peut discuter, même si on n'est pas d'accord sur tout: ils construisent la paix.

Les hommes choisissent de ne pas oublier le passé: ils se souviennent ensemble de la fin d'une ancienne guerre. Ce jour-là, dans les familles, dans les associations, les plus âgés racontent comment cette guerre a commencé, comment était la vie pendant la guerre, ce qu'ils auraient pu faire pour l'éviter…: ils construisent la paix.

En France, le 8 mai de chaque année, personne ne travaille pour se rappeler la fin de la Seconde Guerre mondiale. Dans chaque village, les hommes ont construit des monuments pour se souvenir de ceux qui sont morts pendant la guerre. Comme ça, les gens se rappellent que la guerre existe et qu'il faut faire attention pour qu'elle ne revienne pas.

Dans les écoles, les professeurs enseignent l'histoire. Avec les élèves, ils essaient de comprendre pourquoi des guerres éclatent et tout le monde réfléchit ensemble : est-ce que ça pourrait encore arriver ? Qu'est-ce qu'il faut faire pour que ça ne recommence pas ? Ils construisent la paix.

... SINON, C'EST LA GUERRE...

Ça se passe dans un pays pauvre où beaucoup de personnes sont sans travail. Les habitants de ce pays sont malheureux. Personne ne sait ce qu'il faut faire pour que les choses s'améliorent. Comme les gens sont désespérés, ils imaginent que ça les soulagerait de trouver des coupables pour expliquer leur malheur.

Quelquefois, quand quelque chose ne va pas et qu'il n'y a pas de solution, on recherche un coupable. Ça s'appelle chercher un « bouc émissaire ». Cette fois, sans que l'on sache pourquoi, les coupables que les gens ont choisis, ce sont les gens aux cheveux roux. Peut-être que quelqu'un avait lu une histoire sur les roux qui disait qu'ils étaient plus riches que les autres ou qu'ils avaient une maladie contagieuse, ou qu'ils étaient tous des voleurs... On ne sait pas, mais ce qui se passe,

c'est qu'une fois par semaine, il y a une grande manifestation pour exiger que la police chasse du pays tous les roux.

Même ceux qui n'avaient rien, au début, contre les roux, commencent à se dire que, finalement, si tous les gens aux cheveux roux partent du pays, il y aura plus de places au travail. Dans les journaux, à la télévision, personne ne dit que c'est idiot. Pourtant, il y a beaucoup de gens qui ne sont pas d'accord avec ceux qui veulent chasser les roux. Mais ils ne font rien. Ils ont d'autres choses à faire et pensent que tout va bientôt se calmer. Chaque semaine, de plus en plus de gens vont à la manifestation contre les roux et, au bout de quelques mois, il y a tellement de monde que les gens aux cheveux roux n'osent plus sortir de chez eux. Quand ils sortent, on les pourchasse. C'est la guerre.

Personne n'a réagi. Personne ne s'est opposé aux premières manifestations contre les roux. La force publique aurait pu faire arrêter ces manifestations tout de suite, car il existe une loi qui interdit d'exclure des gens à cause de leur couleur de cheveux, de peau...

Si la force publique ne joue pas son rôle, si les dirigeants des pays ne lui demandent pas de faire respecter les lois, on voit bien qu'ils ne construisent pas la paix.

En ne construisant pas la paix, l'homme prépare, sans s'en rendre compte, la guerre.

Brigitte Labbé et Michel Puech, *La guerre et la paix* © Éditions Milan (Coll. Les Goûters Philo), 2000.

EN ACCORD 2

Même si les enfants jouent tous, un jour ou l'autre, à la guerre, ils veulent tous la paix. Certains, comme Myriane Labrecque et Francis Lachance-Courtois, lancent même un cri du cœur.

1. Lis le poème de Myriane (p. 228) et celui de Francis (p. 229).

2. Note tes réactions dans ton carnet de lecture.

    a) Qu'as-tu aimé dans ces poèmes ?

    b) Lequel te touche le plus ? Pourquoi ?

    c) Quels messages ces jeunes poètes cherchent-ils à transmettre ?

3. Analyse ton poème préféré. Note tes observations sur une feuille.

    a) Le titre est-il bien choisi ? Pourquoi ?

    b) À qui ce poème semble-t-il s'adresser ?

    c) Le texte contient-il des rimes ? Comment ces rimes sont-elles disposées dans chaque strophe ?

    d) Le texte contient-il des répétitions ? Si oui, aimes-tu l'effet créé ?

    e) Relève dans le texte les mots reliés au thème de la paix.

4. Joins-toi à un ou une camarade qui a examiné l'autre poème et présente-lui l'analyse du tien. En quoi ces poèmes se ressemblent-ils ?

5. Ces poèmes t'inspirent-ils d'autres moyens de construire la paix ? Lesquels ? Ajoute-les à ton schéma de l'activité précédente (p. 224).

6. En quoi l'analyse du poème t'a-t-elle fait mieux apprécier celui-ci ?

CONNAISSANCE
L é

Les rimes peuvent être disposées de différentes façons dans les strophes, qui sont en quelque sorte les paragraphes des poèmes.

- Dans les rimes croisées, les sons sont repris en alternance.

- Dans les rimes redoublées, le même son se trouve à la fin de plusieurs vers consécutifs.

- Dans les rimes jumelles, les sons répétés sont associés deux à deux.

*L*a paix

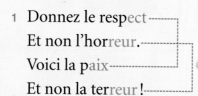

1 Donnez le respect
Et non l'horreur.
Voici la paix
Et non la terreur!

Rimes croisées

2 Portez secours
Ne soyez pas sans-cœur!
Ayez de l'amour
Pour ceux qui ont peur.

3 Faites l'harmonie
Sans vengeance malpolie.
N'embarquez pas dans cette folie
Laissez aux autres la vie.

Rimes redoublées

4 Pacifiques soyez
Et non des meurtriers.
Aimez
Et donnez.

5 Arrêtez
De tuer!
Ici,
La guerre, ça suffit!

Rimes jumelles

6 Comme partout
Nous voulons la paix.
Que tu sois n'importe où
Tu le voudrais.

7 Persévérez
Sans régner.
Entraidez,
Mais surtout, aimez.

8 Voici ma paix
Pour vous!
Faites ce premier jet.
Soyez sans crainte, surtout!

«La paix», texte de Myriane Labrecque, 6e année, école l'Aquarelle, Saint-Bernard, *Les plus beaux poèmes des enfants du Québec*, l'Hexagone et VLB éditeur, 2002 © 2002 l'Hexagone et VLB éditeur.

La paix des sentiments

Ah ! si on avait le courage de parler
à ceux qui font la guerre
en ces moments difficiles
à cause des attentats
qui ont fait s'écrouler
les tours jumelles.
Ah ! si on avait le courage de parler.

> Une phrase ou un groupe de mots répétés renforcent le message du poème et lui donnent du rythme.

Ah ! si on avait le courage de parler.
Il y a des enfants qui ont espoir en vous.
Arrêtez !
on vous le demande.
Ah ! si on avait le courage de parler.
Il y a des enfants qui ont espoir en vous.

Ah ! si on avait le courage de parler.
Il y a des enfants qui ont espoir en vous.
Il y a un enfant
avec une grande sincérité
qui vous écrit et qui veut
que vous arrêtiez
de lancer des missiles tourbillonnant vers leurs cibles.

> La phrase se poursuit aux vers suivants pour suggérer un rythme plus marqué, plus scandé.

Ah ! si on avait le courage de parler.
Il y a des enfants qui ont espoir en vous.
Il y a un enfant
avec une grande sincérité
qui vous écrit.

> Dans les vers libres, qui sont de longueurs inégales, la rime peut disparaître ou devenir occasionnelle.

Ah ! si on avait le courage de parler.
Il y a des enfants qui ont espoir en vous.

Et surtout,
il y a un enfant
avec une grande sincérité
qui vous écrit.

Et qui a une grande amitié
et il vous l'envoie.

« La paix des sentiments », texte de Francis Lachance-Courtois, 5e année, école Sainte-Thérèse, Drummondville, *Les plus beaux poèmes des enfants du Québec*, l'Hexagone et VLB éditeur, 2002 © 2002 l'Hexagone et VLB éditeur.

EN ACCORD 3

Que dirais-tu de te servir toi aussi de la poésie pour exprimer tes sentiments sur la paix ?

1. Pour avoir des idées :

   a) revois ce que tu as noté dans ton schéma au cours des deux activités précédentes (p. 224-229) ;

   b) établis le **champ lexical** du mot *paix*. **VOCABULAIRE** ▸ **p. 243**

2. Surligne les mots du champ lexical qui te touchent plus particulièrement.

3. Rédige ton poème. Si tu manques d'inspiration, arrête-toi et lis ton texte à haute voix.

4. Revois ton texte et cherche à l'améliorer.

   a) Tes strophes sont-elles bien structurées ?

   b) Peux-tu donner plus de rythme à ton poème en ajoutant, en effaçant, en déplaçant ou en répétant des mots ou des groupes de mots ?

   c) Peux-tu améliorer la sonorité de ton poème en ajoutant des rimes ou en variant le type de rimes ?

5. Qu'est-ce qui a facilité la rédaction et l'organisation de ton texte ?

6. Conserve ton poème en le déposant dans un **livre d'or** de la paix, que tu créeras à partir d'un simple cahier ou que tu confectionneras toi-même.

7. En plus de ton poème, qu'aimerais-tu placer dans ton livre d'or ? Inspire-toi des idées à la page suivante et prépare la table des matières de ton livre.

CHAMP LEXICAL –
Un champ lexical est un ensemble de mots reliés à un même sujet, à une même idée. On représente souvent les liens entre les mots d'un même champ lexical à l'aide d'un schéma.

STRATÉGIE

É

Lire ton texte à haute voix plusieurs fois peut t'aider à retrouver le fil de ta pensée. En lisant et en relisant ce que tu as rédigé, tu t'imprègnes du rythme, des mots, des idées. Cela t'amène à poursuivre ta rédaction.

LIVRE D'OR n. m. –
Registre sur lequel les visiteurs écrivent un petit mot et leur nom.

Dictionnaire Super Major – 9/12 ans
© Larousse-Bordas, 1997.

LIVRE d'or

- Des citations sur la paix.
- Un abécédaire de tes bons mots sur la paix.
- Des photos sur la paix ou sur la guerre tirées de journaux ou de magazines accompagnées d'un commentaire personnel.

sur la paix

- Des poèmes.
- Des pensées de tes amis ou de ta famille.
- Une courte présentation d'un récipiendaire du prix Nobel de la paix.
- Des pages vierges à faire signer par tes amis.

8. Rassemble tes documents.

a) Si tu rédiges de nouveaux textes, demande à quelqu'un de les relire pour t'assurer qu'ils sont exempts d'erreurs.

b) Retranscris tes textes ou colle-les dans ton livre en fonction de ta table des matières. Pagine ton livre.

c) Joue avec la taille et la couleur des lettres. Illustre tes propos par des dessins ou des photos.

9. Présente ton livre d'or sur la paix à tes amis. Invite-les à écrire un petit mot et à le signer.

10. Conserve-le précieusement pour le relire de temps à autre et l'enrichir de tes dernières trouvailles.

Moi et les autres

Règlement *amiable*

> **MÉDIATION** n. f. – [...]
> Intervention destinée
> à mettre d'accord deux
> personnes ou deux pays. [...]
>
> Extrait du *Robert Junior*,
> version CD-ROM.

La responsable du service de garde, Marie-Laure, a conseillé à Mélissa d'aller parler à son ami Pierre-Marc pour s'expliquer avec lui. Mélissa hésite. Elle est encore très fâchée contre son ami. Nous avons confié sa lettre à Rachel Vincent, psycho-éducatrice responsable du programme de **médiation** dans une école primaire.

Bonjour,

J'ai fait récemment une confidence à mon ami Pierre-Marc. Peu de temps après, j'ai appris qu'il avait révélé mon secret à Véronica. J'étais vraiment en colère contre lui. J'avais envie de le frapper. Je me suis retenue de le faire, mais je l'ai engueulé un bon coup! Depuis, il m'ignore. Et s'il ne m'adressait plus jamais la parole?

Mélissa

Chère Mélissa,
Tout comme Marie-Laure, je te conseille fortement de parler à Pierre-Marc. Avant de le rencontrer, tu dois cependant réfléchir à ce que tu veux lui dire. S'il t'a trahie, comme tu le laisses entendre, il est normal que tu éprouves de la colère. Mais engueuler quelqu'un, comme tu l'as fait, arrange rarement les choses, au contraire. Une colère mal exprimée peut aboutir à la violence.

232

Tu dois apprendre à exprimer ta colère sans violence. Tu dois pouvoir dire calmement à ton ami ce qui t'a blessée dans son comportement et ce que tu as ressenti. Quand tu seras en sa présence, évite de l'accuser, de lui prêter des intentions. Il se peut que ton ami n'ait pas compris l'importance de cette confidence pour toi. Quand tu lui auras exprimé clairement ton point de vue, écoute le sien. Puis trouvez ensemble les moyens d'éviter à l'avenir une telle situation.

Bonne chance dans ta démarche. J'ai confiance que Pierre-Marc et toi saurez vous réconcilier.

Rachel Vincent, psychoéducatrice

1. Si Mélissa te demandait de lui suggérer des moyens pour calmer sa colère, que lui proposerais-tu? Fais part de tes réponses à la classe.

2. Ce n'est pas facile d'exprimer sa colère sans accuser l'autre. Exerce-toi à trouver les mots pour le dire en faisant l'exercice proposé à la fiche **37**.

3. Si tu étais témoin de la discussion entre Mélissa et Pierre-Marc, comment décèlerais-tu les signes d'écoute ou de «non-écoute»? Dresse une liste de ces attitudes dans un tableau comme celui-ci.

Attitudes d'écoute	Attitudes de non-écoute
◖▭▶	◖▭▶

4. Quels comportements adopterais-tu pour créer un climat favorable à une bonne communication?

EN PRIME

• S'il existe un service de médiation à ton école, tu pourrais peut-être offrir tes services comme médiateur ou médiatrice.

Sur la même longueur d'onde

Il était une voix…

Les premiers messages radio furent transcrits en morse et envoyés sur de courtes distances. En 1901, en Angleterre, l'Italien Guglielmo Marconi envoya des signaux qui traversèrent l'Atlantique grâce à une antenne fixée à un cerf-volant. Comme les émetteurs radio de Marconi n'étaient pas conçus pour la voix humaine, il fallut attendre jusqu'en 1906 avant qu'un Américain, Reginald Fessenden, parvienne à émettre du Massachusetts un message de Noël. Son auditoire se réduisait à quelques opérateurs de radio à bord de bateaux proches de la côte. La première radio commerciale commença à diffuser des émissions en 1920. La radio devint très vite extrêmement populaire.

Comme la télévision, la radio est un formidable outil de communication.

Que dirais-tu d'entrer dans cet univers médiatique en créant une émission de radio avec tes camarades de classe?

1. Avant de te lancer dans la production d'une émission, prends part à la discussion collective.

   a) Quels genres d'émissions de radio écoutes-tu?

   b) Quelles émissions de radio destinées aux jeunes de ton âge connais-tu? Aimerais-tu qu'il y en ait davantage?

   c) En quoi la radio diffère-t-elle de la télévision? Quels sont les avantages de la radio sur la télévision? Ses désavantages?

   d) Où et quand écoutes-tu la radio?

2. De quoi aimerais-tu parler dans votre émission? Fais part de toutes les idées qui te viennent en tête.

3. Pour mieux organiser le contenu de votre émission, examinez ensemble la programmation de la fiche **88** et commentez-la.

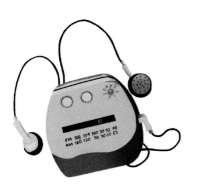

4. Précisez ensemble le contenu de votre émission. Notez son déroulement sur la fiche 88.

   a) Quel genre d'émission voulez-vous produire?

   b) À quel auditoire vous adresserez-vous?

   c) Parmi les idées trouvées collectivement, lesquelles pourraient l'intéresser?

   d) Décidez sous quelle forme vous traiterez vos sujets : chroniques, entrevues, faits divers, etc.

   e) Quel sera le titre de votre émission?

5. Quelle partie de l'émission aimerais-tu réaliser? Fais part de tes préférences à la classe. Joins-toi aux élèves qui ont fait le même choix que toi.

6. En équipe, préparez le contenu de votre partie d'émission à l'aide de la fiche 89.

7. Faites une répétition en suivant votre plan. Exercez-vous à utiliser un langage radiophonique.

8. Faites une répétition générale en travaillant de concert avec les autres équipes.

9. Qu'as-tu fait pour adopter un langage radiophonique?

10. Enregistrez votre émission de radio au radiocassette.

11. Au moment convenu, remettez la cassette à vos auditeurs.

STRATÉGIE

Pour adopter un langage radiophonique :

- Utilise un vocabulaire compréhensible de tous tes auditeurs.

- Évite les longues phrases.

- Montre de l'intérêt pour ce que tu dis en insistant sur certains mots clés.

- Surveille ton articulation et ne parle pas trop vite.

ORTHOGRAPHE D'USAGE

En toutes lettres

LA LISTE ORTHOGRAPHIQUE

Comment découvrir des mots à l'étude au numéro 9 ? Lettre par lettre.

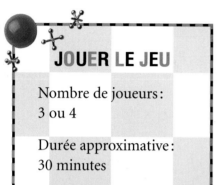

JOUER LE JEU

Nombre de joueurs : 3 ou 4

Durée approximative : 30 minutes

Matériel : feuilles de papier, crayon, fiche 90

1. Trouve quinze mots de ta liste orthographique (fiche **90**) en résolvant les devinettes de la fiche **91**, comme dans cet exemple.

   Ex. : Voyelle accentuée dans *pâte* → â

   En double dans *emmener* → mm

   Au début et à la fin de *expérience* → e

   Réponse : âme

2. Découvre d'autres mots de ta liste en jouant au jeu du pendu.

   a) Tirez au sort l'élève qui commencera la partie.

   b) Celui-ci ou celle-ci choisit un mot dans la liste orthographique et trace sur une feuille autant de tirets qu'il y a de lettres dans ce mot.

   c) À tour de rôle, les joueurs proposent une lettre.

   d) Le meneur ou la meneuse de jeu inscrit chaque lettre du mot sur le tiret correspondant autant de fois que cette lettre apparaît dans le mot. Sinon, il ou elle trace le premier trait de la potence.

   e) La personne qui trouve le mot avant que le dessin de la potence soit terminé marque un point.

3. Jouer avec les mots t'aide-t-il à retenir la manière de les écrire ? De quelle façon ?

Agent double

LA VALEUR DES LETTRES *C* ET *G*

Qu'est-ce que les lettres *c* et *g* ont en commun? Bien plus que tu ne le crois.

1. La lettre *c* se prononce [k] dans *carton* et [s] dans *ceci*. Et pour que le *c* de *façon* se prononce [s], il faut lui accrocher une cédille. Pour tout savoir sur la lettre *c*, remplis la fiche 92.

2. Dans les mots suivants, le son [s] est rendu par *ç* plutôt que par *s*. Justifie ce choix en comparant chacun d'eux avec un mot de la même famille.

   Ex.: balançoire → balancer

   a) gerçure   c) reçu   e) berçante

   b) fiançailles   d) aperçu   f) glaçage

3. Tout comme la lettre *c*, la lettre *g* a une personnalité complexe. Pour l'apprivoiser, remplis la fiche 93.

4. Dans les mots suivants, le son [ʒ] est rendu par *ge* plutôt que par *j*. Justifie ce choix en comparant chacun d'eux avec un mot de la même famille.

   Ex.: mangeoire → manger

   a) bougeotte   c) dirigeable   e) gageure

   b) changeant   d) exigeante   f) jugeote

CONNAISSANCE

É

La cédille permet de transformer le son [k] de la lettre *c* en [s] devant *a*, *o* et *u*.

Ex.: cas, façade;
     document, reçu;
     code, garçon

EN PRIME

• Tu as toujours le goût de jouer avec les mots? Réclame illico les mots croisés de la fiche 94.

Demandé : Préposés à l'apprentissage

LA PRÉPOSITION

Voici l'occasion de te rendre compte que tu en sais déjà pas mal long sur la préposition.

1. Pour commencer, lis le poème de Guillevic.

Col de pigeon, bec de lapin…

Col de pigeon
Bec de lapin

Et du soleil
Par grand matin

Œil de chevreau.
Pied de cresson

Et peu de vent
Parmi les joncs.

Bord de nuage
Un grain de riz

Et le soleil
Chassant la pluie

Bourgeon de pin,
Fruit qui se fend

Et l'horizon
Jamais trop grand

Sentier sans fin
Plume de geai

Et le travail
De l'olivier

Sous-bois de mai
Bord de l'étang

Et l'épervier
Qui a le temps.

Rocher qui dort,
Poulain qui court

Et la prairie
Qui est autour.

Enfant qui dort,
C'est tout cela

Et c'est bien plus
Que tu verras.

Car nous aurons
Tant et tant fait

Que tu verras
Grandir la paix.

Guillevic, « Le goût de la paix »,
Terre à bonheur © Seghers.

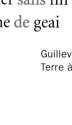

2. Examine les mots en rouge dans le texte que tu viens de lire.

   a) S'agit-il de mots que tu as l'habitude d'employer ?

   b) Ces mots sont des prépositions. D'après tes observations, la préposition est-elle un mot variable ou invariable ?

   c) Qu'est-ce qui distingue un mot variable d'un mot invariable ?

   d) Décris la composition des mots ou des groupes de mots qui complètent chacune des prépositions.

   Ex. : col de pigeon → Le nom *pigeon* complète la préposition *de.*

3. Amuse-toi à donner une autre forme au poème de Guillevic en changeant les prépositions et leurs compléments. Consulte au besoin les données de *Retenir sa langue* (p. 240).

4. Que dit-on de la préposition dans tes ouvrages de référence ? Et du groupe prépositionnel ?

5. Ajoute trois compléments à chaque préposition.

   Ex. : *à* → à demain, à l'école, à toi

   a) avec   b) chez   c) parmi   d) pour   e) sur

6. Crée de nouvelles expressions en changeant les groupes prépositionnels dans les expressions suivantes.

   a) Avoir du pain **sur la planche**

   b) Ne pas être **dans son assiette**

   c) Être **sans le sou**

   d) Chacun **chez soi**

   e) L'appétit vient **en mangeant**

7. Enrichis les phrases de la fiche **95** en ajoutant des groupes prépositionnels.

LA PRÉPOSITION ET LE GROUPE PRÉPOSITIONNEL

La préposition (Prép.) est un mot invariable qui sert à exprimer différents sens.

SENS	PRÉPOSITIONS	EXEMPLES
Accompagnement	avec, par	*avec mes copines, par la main*
Appartenance	à, de	*à toi, de ma mère*
But	afin de, pour	*afin de dormir, pour manger*
Cause	à cause de, compte tenu de, grâce à, par	*compte tenu de ton idée*
Comparaison	comme, en forme de	*comme mon père, en forme de poire*
Lieu	à, à côté, à droite, à gauche, chez, dans, de, derrière, dessous, devant, en, par, parmi, près de, sur, vers	*à Saint-Donat, chez mes parents, sur la Lune*
Opposition	contre, face à, malgré	*contre vents et marées, malgré le mauvais temps*
Privation	excepté, hors, sans, sauf	*sans faute, excepté mon frère*
Temps	à, avant, après, depuis, dès, durant, jusqu'à, par, pendant	*à midi, durant la tempête, jusqu'à demain, par moments*

1 La préposition sert à introduire un complément, qui porte le nom de **complément de la préposition** (compl. de la prép.).

Prép.   Compl.
          de la prép.

Ex. : *sous **la table***

2 Une préposition accompagnée de son complément forme un **groupe prépositionnel** (GPrép).

GPrép
Prép. Compl.
         de la prép.

Ex. : *le serin **de ma mère***

S E C T I O N   G R A M M A T I C A L E

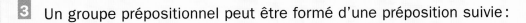

3 Un groupe prépositionnel peut être formé d'une préposition suivie :

- d'un **groupe du nom** (GN) ;
  Ex. : *devant **cette magnifique demeure***

- d'un **pronom** ;
  Ex. : *avec **toi***

- d'un **verbe à l'infinitif** ;
  Ex. : *pour **partir***

- d'un **participe présent**.
  Ex. : *en **courant***

4 Le groupe prépositionnel peut exercer la fonction de :

- **complément du nom** ;
  Ex. : *le métro **de Montréal***
       *une maison **à la campagne***
       *une dictée **sans fautes***
       *un film **pour les enfants***

- **complément de phrase**.
  Ex. : *Il a plu **durant la nuit**.*
       ***Pour t'aider**, je préparerai le repas.*

5 L'utilisation des GPrép peut te servir à préciser ta pensée et à enrichir tes textes.
Ex. : *J'ai vu un film hier.* →
     *J'ai vu un film **de science-fiction** hier.*
     Je vais promener mon chien. →
     ***Malgré le mauvais temps**, je vais promener mon chien.*

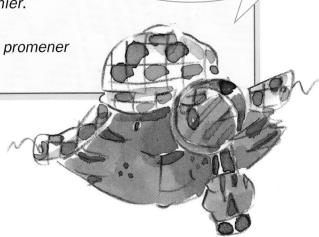

Avec des noms, on forme des groupes du nom, avec des verbes, des groupes du verbe. Et avec des prépositions, que forme-t-on ? Des groupes prépositionnels. Élémentaire, dirait ce cher Watson !

SECTION GRAMMATICALE

VOCABULAIRE

La clé des champs

LE CHAMP LEXICAL

Pour que tes textes ne manquent pas d'à-propos, apprends à former des champs lexicaux.

1. En t'appuyant sur les données de *Retenir sa langue* (p. 243), établis le champ lexical d'un des mots suivants :

   a) amitié   c) eau   e) maison   g) soleil

   b) chien   d) livre   f) parole   h) sport

2. Compare ton champ avec celui d'un ou d'une élève qui a retenu le même mot que toi.

3. À partir de votre champ lexical, rédigez ensemble un court texte (pas plus d'une demi-page), qui peut être une description, un texte comique, une lettre ou un conte. À vous de voir !

4. Comment le champ lexical a-t-il été une source d'inspiration dans la rédaction ? Utiliseras-tu à nouveau cette façon de faire ? Pourquoi ?

5. Échangez votre texte avec celui d'une équipe qui a travaillé sur un autre champ.

   a) Surlignez dans le texte de vos camarades les mots du champ lexical qu'ils ont établi.

   b) Rendez-leur leur texte et demandez-leur une appréciation de votre travail.

   6. Comment as-tu procédé pour repérer les éléments du champ lexical dans le texte de tes camarades ?

Pour enrichir ton champ lexical, consulte divers ouvrages de référence comme un dictionnaire des synonymes et des antonymes, un dictionnaire visuel ou une encyclopédie.

EN PRIME

• Choisis un autre mot au n° 1 et établis son champ lexical.

LE CHAMP LEXICAL

Un champ lexical est un ensemble de mots et d'expressions qui se rapportent à un même thème ou à une même notion.

1 Le champ lexical d'un mot comme *chat*, par exemple, comprend :

- des synonymes ;
  Ex. : *minet, minou, matou*

- des antonymes ;
  Ex. : *chat de race → chat de gouttière*

  > Quand tu rédiges un texte, établis le champ lexical des mots clés de ton texte. Tu disposeras ainsi d'un éventail de mots et d'expressions qui t'aideront à préciser ta pensée.

- des mots génériques ;
  Ex. : *félin, mammifère*

- des mots spécifiques ;
  Ex. : *chat angora, chat siamois*

- des mots dérivés (par l'ajout d'un préfixe ou d'un suffixe) ;
  Ex. : *chat*on, *chatt*erie, *chat*ière, *chat*oyer

- des mots composés ;
  Ex. : *langue-de-chat, poisson-chat*

- des mots qui définissent ou décrivent le mot vedette, ou qui lui sont directement reliés ;
  Ex. : *ronronnement, miaulement*
  griffe, patte, poil, fourrure, moustache, queue
  tigre, lion, panthère

- des expressions formées avec ce mot ;
  Ex. : *herbe à chat, être comme chien et chat*

- des proverbes et des dictons.
  Ex. : *Quand le chat n'est pas là, les souris dansent.*

2 Établir le champ lexical d'un mot, c'est en quelque sorte former un réseau de sens autour de ce mot.

3 Le champ lexical d'un mot englobe la famille de ce mot.

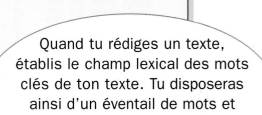

Un jeu d'enfant

LA CONJUGAISON DES VERBES DU TYPE *COMMENCER* ET *MANGER*

Qu'est-ce que les verbes du type *commencer* et ceux du type *manger* ont en commun? Bien plus que tu ne le crois.

1. Pour conjuguer les verbes *commencer* et *manger* en un tournemain:

   a) Fais équipe avec un ou une autre élève.

   b) Déterminez qui remplira la fiche du verbe *commencer* (fiche **96**) et qui remplira celle du verbe *manger* (fiche **97**).

   c) Sachant que ces verbes ont les mêmes terminaisons que les verbes du type *aimer*, remplissez individuellement votre fiche.

   d) Échangez vos fiches et vérifiez mutuellement votre travail à l'aide du tableau de conjugaison du verbe *aimer*. Signalez, s'il y a lieu, les erreurs à votre camarade.

   e) Quels sont les radicaux du verbe *commencer*? Quels sont ceux du verbe *manger*?

   f) Qu'est-ce que les verbes *commencer* et *manger* ont en commun?

2. Pour conjuguer correctement un verbe, il faut savoir l'associer à son modèle de conjugaison. Exerce-toi à le faire à l'aide de la fiche **98**.

3. Voici six verbes qui se conjuguent comme *commencer*.

agacer	balancer	bercer
fiancer	glacer	prononcer

   a) Trouve des mots de la même famille que chacun de ces verbes et contenant l'un ou l'autre de ses radicaux.

b) Surligne la lettre qui suit le *c* ou le *ç* du radical. Que remarques-tu ?

Ex. : commencer → **commenc**ement, **commenç**ant, **commenç**ante

4. Fais le même exercice avec les verbes ci-dessous, qui se conjuguent comme *manger.* Surligne la lettre qui suit le *g* ou le *ge* du radical. Que remarques-tu ?

Ex. : manger → **mange**oire, **mange**able, **mange**aille, **mang**eur, **mang**euse

engager	exiger	loger
nager	partager	ranger

LES VERBES DU TYPE *COMMENCER* ET DU TYPE *MANGER*

	VERBES DU TYPE *COMMENCER*	VERBES DU TYPE *MANGER*
Nombre de verbes qui se conjuguent sur ce modèle	environ 100	environ 160
Terminaisons	identiques à celles du verbe *aimer*	identiques à celles du verbe *aimer*
Radical	*commenc-* *commenç-* devant une terminaison qui commence par un *a* ou un *o* Ex. : *tu* **commenç**ais	*mang-* *mange-* devant une terminaison qui commence par un *a* ou un *o* Ex. : *tu* **mange**ais
Mots de la même famille	le *c* se transforme en *ç* devant *a, o,* et *u* Ex. : *commenç*ant	on ajoute un *e* après le *g* devant *a, o,* et *u* Ex. : *mange*oire

5. Associe chaque verbe de la première colonne au temps et à la personne auxquels il est conjugué. Note tes réponses sur une feuille.

Verbes	Temps et personne
A. nous avons mangé	a) indicatif présent, 3e pers. du sing.
B. elle les dévisage	b) futur simple, 1re pers. du sing.
C. efface-les	c) imparfait, 2e pers. du sing.
D. elles auraient exigé	d) subjonctif présent, 1re pers. du plur.
E. je vous coincerai	e) passé simple, 3e pers. du sing.
F. vous allez déneiger	f) passé composé, 1re pers. du plur.
G. ils le dénoncent	g) plus-que-parfait, 1re pers. du plur.
H. nous avions arrangé	h) indicatif présent, 3e pers. du plur.
I. tu logeais	i) futur proche, 2e pers. du plur.
J. elle exigea	j) conditionnel passé, 3e pers. du plur.
K. que nous déménagions	k) impératif présent, 2e pers. du sing.

Nous allons manger

Nous avons mangé

6. Récris les phrases suivantes en remplaçant le verbe conjugué par un synonyme qui se conjugue comme le verbe *commencer*.

Ex. : Tu m'**énerves** ! → Tu m'**agaces** !

a) Bouge ce meuble avec précaution.

b) Elle faisait un métier difficile.

c) J'ai déposé la pendule sur la cheminée.

d) Et si vous dessiniez le contour de sa tête ?

e) Changez les pneus de cette voiture, s'il vous plaît.

7. Fais le même exercice en remplaçant cette fois chaque verbe conjugué par un verbe du type *manger*.

Ex. : Ma tante **a décoré** son appartement avec goût.

→ Ma tante **a arrangé** son appartement avec goût.

a) Elle remplacera les rideaux de sa chambre.

b) La fumée de cigarette m'incommode.

c) Notre enseignant nous incitait à travailler fort.

d) Ces travaux demandent beaucoup d'attention.

e) J'écrirai un article pour le journal de l'école.

Tourner la page

LA DICTÉE EN COOPÉRATION

Finir le numéro 9 sans la célèbre dictée en coopération ? Il n'en est pas question !

1. Forme une équipe avec deux autres élèves. Le texte de la dictée se trouve dans la fiche 99. Au besoin, revois la façon de procéder (fiche 29).

2. Quels problèmes as-tu eus dans la dictée ? Comment feras-tu pour les résoudre à l'avenir ?

Solidaires au-delà des frontières

SUPPLÉMENT

TEXTES ADDITIONNELS ET ACTIVITÉS DE LECTURE AU CHOIX

Les aventures de Lili Graffiti

*Aujourd'hui, toute la classe de M. Cohen va partir pour un voyage imaginaire,
direction : la Chine ! Lili Graffiti est tout excitée car elle fera
le voyage à côté de Justin, son meilleur ami.*

C'est chouette d'avoir un ami comme Justin. Il a le chic pour rendre la vie plus drôle. M. Cohen aussi, d'ailleurs. M. Cohen, c'est notre maître.

— Préparez-vous à embarquer ! dit-il en faisant clignoter la lumière – c'est sa façon de nous signaler qu'on passe d'une activité à une autre.

Dans la classe, on a aligné toutes les chaises pour faire comme dans un véritable avion, avec les allées pour pouvoir circuler et les places attitrées du pilote,
du copilote, des hôtesses de l'air et des stewards.

Le pilote, c'est toujours M. Cohen. Il dit que c'est parce qu'il est le seul ici à avoir son permis de conduire, mais moi je connais la vraie raison. S'il veut rester aux commandes, c'est pour être sûr d'atterrir là où il faut. [...]

*

La Chine.

Pas mal, comme destination.

Nous descendons tous de l'avion. M. Cohen nous montre un film, après quoi nous travaillons sur notre dossier « Reportage ».

Justin et moi, on découpe des images dans les dépliants que l'agence de voyages nous a envoyés. On les transforme en cartes postales pour faire comme si on était vraiment en Chine. Après, on décrit ce qui nous paraît important, les différents endroits qu'on a visités.

Justin choisit une photo de panda géant.

— Celle-là, on va l'envoyer à Danny-le-Moucheron.

— Tu veux dire ton frère, le nain de quatre ans qui envahit les trois quarts de ta chambre ?

Je colle la photo du panda sur un carton blanc.

— Gagné ! Des comme lui, y'en a pas deux pareils.

Justin prend la carte et écrit :

Je m'amuse bien.
Heureusement que t'es pas là
pour me jouer des tours pandables.

Ça s'écrit « pendable », je lui signale.

Justin fait la grimace.

Avec un panda, il vaut mieux mettre « pandable ». De toute façon, ce n'est pas grave, Danny ne sait pas lire.

— Avec ton écriture, il aurait du mal.

Je regarde ses gribouillis informes.

Justin regarde la carte à son tour.

— Bon, je m'occupe de coller et toi tu écris.

Justin est très doué pour coller proprement. Moi, j'ai mis trop de colle, ça bave. Une horreur ! Si M. Cohen note la propreté, je ne vais pas récolter beaucoup de points.

Par contre, j'écris beaucoup mieux que Justin.

Lui et moi, on fait équipe, on se donne des coups de main. On apprend les choses ensemble, mais comme on ne les comprend pas toujours en même temps, celui qui a saisi le premier explique à l'autre. C'est ça, l'entraide !

Par exemple, quand j'ai réussi à écrire « e » dans le bon sens et pas « ɘ », j'ai expliqué comment faire à Justin. De son côté, il m'aide pour les fractions parce que je n'ai compris qu'à moitié. Et quand il faut lire à voix haute devant toute la classe et qu'on bute sur un mot difficile, on se souffle. Vraiment, on forme une fine équipe tous les deux !

Paula Danziger, *Les aventures de Lili Graffiti*, Gallimard Jeunesse (Coll. Folio Cadet), 1998.

EN PRIME

• À l'école, Lili et Julien travaillent coude à coude. Dans la fiche **100**, montre comment ils se soutiennent et s'aident mutuellement.

L'inconnu de la ruelle

À l'approche de l'hiver, Mésange rencontre un homme qui n'a ni maison ni abri.
Il n'est pas question pour elle de laisser cet homme passer l'hiver dehors.
Mais il ne se laisse pas facilement approcher. Comment Mésange s'y prendra-t-elle
pour apprivoiser l'inconnu de la ruelle?

Le lendemain de sa découverte du sans-abri, Mésange n'avait pas cours le matin. Elle en profita pour se rendre au local de Planète Verte.

Seul Féfé était présent lorsqu'elle arriva vers dix heures. Assis à une table près de l'entrée, un casque de baladeur sur les oreilles, il était en train de bricoler un appareil.

Il s'aperçut enfin que son amie était entrée et ôta son casque en souriant.

« Salut, Mésange! Tu viens m'aider à réparer le fax de l'association?

— Bonjour, Féfé. Tu sais bien que je n'y connais rien. Et de toute façon, je n'ai pas la tête à ça… »

Féfé fronça les sourcils et posa son minuscule tournevis.

« Que se passe-t-il?

— Rassure-toi, il ne m'est rien arrivé.

— À qui, alors?

— Je ne sais pas qui c'est. Écoute, tu as un moment? Je vais te raconter… »

Et Mésange entreprit de relater son aventure de la veille. Pour une fois, le jeune métis la laissa parler sans l'interrompre. […]

Elle conclut en disant:

«On ne peut pas le laisser comme ça!»
[…]

*

Elle s'arrêta en chemin dans une épicerie. Elle acheta la meilleure pâtée pour chien, refusa le sac en plastique que lui proposait la vendeuse, et sortit en serrant contre elle sa boîte comme s'il s'agissait d'un précieux trésor. Prise de court, elle n'avait pas eu le temps d'aller chez le boucher qui lui fournissait habituellement la viande pour ses animaux. Mais elle se rattraperait la prochaine fois, et le griffon vendéen apprécierait sûrement cette première attention.

Elle hâta le pas. À la voir, on aurait cru qu'elle craignait d'arriver en retard à un rendez-vous important. D'ailleurs, à ses yeux, il s'agissait vraiment d'un rendez-vous important !

Le cœur battant, elle atteignit l'allée des Orchidées. Elle se mordilla la lèvre pour se donner du courage. D'une certaine manière, elle se sentait responsable de l'inconnu sur le banc : n'était-ce pas elle qui l'avait découvert ?

En arrivant à proximité du banc, elle souhaita que l'homme ait disparu. Mais il était toujours là, assis comme la fois précédente. Il regardait encore la maison d'en face avec ses volets clos, et le chien reposait à ses pieds.

L'inconnu portait toujours le même complet gris-bleu, mais Mésange remarqua qu'il avait noué cette fois une écharpe en laine noire autour de son cou. Il avait certainement eu froid, la nuit dernière. Elle l'imagina sous son carton, grelottant, et se força à avancer encore.

« Bonjour, monsieur », dit-elle.

L'homme se tourna vers elle, hocha imperceptiblement la tête, puis se replongea dans sa contemplation de la maison fermée. Mais il avait réagi ! Il avait répondu au salut de Mésange, à sa façon.

La jeune fille s'enhardit. Elle tira d'une poche de sa salopette l'écuelle en plastique et la cuillère qu'elle avait apportées, puis s'accroupit et posa le récipient devant le chien. Celui-ci ne la quittait pas du regard. Sa queue qui battait l'air frénétiquement trahissait sa joie.

Lorsque Mésange fit sauter le couvercle de la boîte, l'homme eut de nouveau une réaction. Il l'observa tandis qu'elle servait de grosses cuillerées de pâtée au chien. Le griffon s'était tout à coup

dressé sur ses pattes et attendait que sa bienfaitrice ait fini de remplir la gamelle.

La profonde gentillesse – mêlée de tristesse – que Mésange lut dans les yeux du maître devant ce spectacle acheva de la rassurer : cet homme donnait envie qu'on s'intéresse à lui et qu'on l'aide.

« J'ai pensé que ça lui ferait plaisir », dit-elle en désignant le chien qui dévorait la pâtée.

Puis, comme l'autre ne répondait pas, elle insista :

« Comment s'appelle-t-il ?

— Rêve. »

Mésange resta bouche bée. Elle pensait se heurter au mutisme obstiné qu'il opposait à toutes ses questions.

Le nom du griffon lui plaisait beaucoup.

« C'est joli, Rêve, dit-elle. Moi, c'est Charlotte, Charlotte Mérange, mais tout le monde m'appelle Mésange, peut-être parce que je m'occupe beaucoup des animaux. »

La jeune fille espérait que cette première brèche entraînerait un flot de paroles. Les grands silencieux deviennent souvent très bavards quand ils se décident à parler…

Mais il n'en fut rien ; l'étrange individu se remit à fixer la maison d'en face. Mésange allait devoir s'armer de patience…

Emmanuel Jouanne, *L'inconnu de la ruelle*, © Hachette Livre (Coll. Bibliothèque verte).

EN PRIME

• Dans la fiche 101, examine de plus près la relation qui se tisse entre Mésange et l'inconnu de la ruelle.

L'ACTION HUMANITAIRE

Comment venir en aide aux plus démunis de la planète ? Des hommes et des femmes de tous les pays répondent à cette question en s'engageant dans l'aide humanitaire. Viens rencontrer ces héros et ces héroïnes des temps modernes.

QU'EST-CE QUE L'ACTION HUMANITAIRE ?

Le mot humanitaire signifie « qui s'intéresse au bien de l'humanité », qui cherche à améliorer la condition de l'homme. Vaste programme. Les organisations humanitaires ont été créées pour porter secours aux victimes des guerres ou des catastrophes naturelles. Médecins, infirmières, chauffeurs routiers partent aux quatre coins du monde pour soulager les détresses humaines. Ce sont les nouveaux chevaliers des temps modernes.

PEUT-ON SAUVER TOUS CEUX QUI SOUFFRENT ?

Il faut malheureusement répondre non. L'action humanitaire est parfois impossible. De nombreuses catastrophes ne sont pas connues immédiatement. Certains pays sont encore fermés aux étrangers. Comment savoir rapidement qu'il s'est déclenché une épidémie ou que la population est victime d'un massacre ? Lorsque la nouvelle parvient à l'extérieur, ces pays, des dictatures, refusent l'aide étrangère et parlent d'ingérence. En clair, ils accusent ceux qui veulent les aider de s'occuper de ce qui ne les regarde pas.

Il ne se passe pas de semaine sans qu'une nouvelle catastrophe naturelle ou un nouveau conflit n'éclate dans le monde. Or, les organisations humanitaires ont des budgets limités. Elles doivent faire des choix douloureux. Dans quel pays va-t-on intervenir en priorité ? Lorsque les « humanitaires » arrivent sur le terrain, quelle population va-t-on secourir en premier si les moyens alimentaires sont insuffisants pour tous ? Les enfants, porteurs d'avenir ? Les femmes qui allaitent et nourrissent plusieurs enfants ? Les adultes, qui, remis sur pied, pourront aider les autres par leurs travaux, leur force de travail ou d'initiative ? Pour les soins médicaux, le même choix effrayant peut se poser. Il n'existe qu'un chirurgien et des centaines de blessés à opérer. Comment va-t-on choisir ceux qui auront une chance d'être sauvés? Quel décalage entre l'immensité des misères à soulager et les moyens qui seront nécessairement toujours insuffisants, pour y parvenir!

GÉNÉROSITÉ ET AVENTURE

[...] La télévision a rendu populaires les « humanitaires », héros des temps modernes. Ils font rêver. Vous voudriez les imiter. Comment devenir ce chirurgien qui opère nuit et jour sous une tente en plein désert ou dans la moiteur de la forêt tropicale? Ou l'infirmier dont la seule présence réconforte autant que le vaccin, le bol de riz ou la couverture qu'il apporte? Ou encore le chauffeur de ces énormes poids lourds qui vont rouler jour et nuit pour transporter médicaments et vivres? Dans votre imaginaire, et même dans celui des adultes, le médecin du bout du monde, l'infirmière, le conducteur de camion, le pilote d'hélicoptère [...] ont remplacé le pompier ou le policier au grand cœur.

LES « GRANDS FRÈRES » DE L'HUMANITAIRE

Jeunes, généreux et un peu aventuriers, ils se sont, un jour, engagés dans « l'humanitaire ». Médecins, infirmières, officiers de marine, ingénieurs, ils avaient un métier, les pieds sur terre et une grande envie de consacrer quelques années de leur vie à travailler dans le tiers-monde. Mais l'action humanitaire demande sérieux et professionnalisme. [...]

SYLVIE, INFIRMIÈRE EN AFGHANISTAN

Sylvie, infirmière [...], vit seule dans la vallée de Teshan, dans les hautes montagnes de l'Hindou Kouch en Afghanistan. Ce petit bout de femme, d'un peu plus de vingt ans, s'impose rapidement dans ce pays [...]. Le commandant de la région la considère comme sa fille et la prend sous sa protection. Les Afghans la respectent. Les femmes la vénèrent. Elle tient la dragée haute aux seigneurs de la guerre.

La mission de Sylvie n'est pas de tout repos. Elle est la seule Française et la seule infirmière dans la région. Faute de médecins dans les environs, elle intervient bien au-delà de sa mission. On lui amène souvent des blessés de guerre. Elle doit établir les diagnostics, opérer, amputer s'il le faut, à la lueur d'une bougie. Elle n'a pas le choix. Elle passe tous ses moments libres à se perfectionner en lisant des manuels. On l'appelle « doctor ». [...]

Sylvie a appris le farsi, langue parlée en Afghanistan et en Iran. Elle devient même une légende sous le nom de « commandant Saeb ». Malgré les dangers, les privations, la solitude, Sylvie aime la vie qu'elle mène. Elle sait qu'il lui sera difficile de rentrer en France et de se retrouver simple infirmière au milieu de toutes les autres dans un hôpital. Devenue médecin des maquis par la force des choses, Sylvie a gagné ses galons de « commandant doctor » sur le terrain. Comme tant d'autres avant elle, l'expédition humanitaire l'a transformée.

JEAN-MARC, MÉDECIN EN AMAZONIE

Médecin alsacien de 43 ans, Jean-Marc n'est pas un volontaire de l'humanitaire classique. Voilà près de dix ans qu'il parcourt les régions indiennes de la cordillère des Andes. Dans sa famille, l'action humanitaire est une tradition. Son arrière-grand-père n'était autre que le célèbre docteur Schweitzer qui s'installa au Gabon au début du siècle pour soigner les lépreux. Son père était pasteur. En 1979, alors qu'il n'est qu'en première année de médecine, un de ses amis lui raconte son voyage au Biafra et ses tournées en Afghanistan [...]. Deux ans plus tard, encore étudiant, il part pour la Colombie se frotter à la médecine de terrain. [...] Il apprend la langue des autochtones. Seul Blanc de la grande forêt, il devient le protecteur des Indiens de l'Apaporis. Depuis, il est pour eux à la fois le médecin, l'instituteur, le juge, le conseiller agronome.

Jean-Marc se sent parfois seul. Les autorités colombiennes ne l'aident guère. Elles sont même opposées à la présence de ce Blanc dans une région habitée seulement par des Indiens. Pour visiter les villages, soigner les malades – le paludisme en particulier frappe les paysans et les chercheurs d'or dans cette région très marécageuse –, Jean-Marc se déplace en pirogue. [...] Sa vie est frugale. Sa maison? Une case de huit mètres sur quatre, au sol en terre battue. Son lit? Un hamac. Tous les quinze mois, Jean-Marc rentre en France. Quand on lui demande pourquoi il s'entête à poursuivre cette vie ingrate et difficile, il répond: « Je reste parce que cela est juste ».

Mireille Duteil, *L'action humanitaire: pour quoi faire?*, Éditions Nathan, 1996.

EN PRIME

• Pour mieux comprendre en quoi consiste l'aide humanitaire, réclame la fiche **102**.

LA SOLIDARITÉ, JE L'INVENTE

*Qu'est-ce que la solidarité ? À quoi ça sert d'être solidaire ?
Comment développer son esprit de solidarité ? Le journaliste
Laurent Laplante répond tout simplement à ces questions d'une importance
capitale pour l'avenir de l'humanité et pour ton avenir.*

LA CORDÉE, LA FRATERNITÉ À SON PLUS BEAU

Sais-tu ce qu'est une cordée? Une cordée, c'est un groupe d'alpinistes. Le mot cordée vient de… corde, bien sûr, la corde qui les relie les uns aux autres par la taille pendant l'escalade. […]

Pourquoi les alpinistes s'attachent-ils ensemble? Pour diminuer les risques et mieux s'entraider. Les alpinistes ont beau prendre mille précautions et embaucher les meilleurs sherpas, ils courent quand même d'énormes risques. Le pied peut glisser malgré les crampons. Un rivet peut ne pas être enfoncé assez solidement. Le morceau de roc ou de glace qui servait de marche peut se détacher. L'alpiniste se retrouve alors au-dessus du vide. Ce qui l'empêche de tomber, c'est la corde attachée à sa ceinture. Cette corde-là lui sauve la vie si les autres alpinistes supportent le poids inattendu de leur compagnon jusqu'à ce qu'il trouve un point d'appui. La cordée d'alpinisme, c'est un modèle de solidarité, une vraie fraternité.

VOIS-TU LA CORDE INVISIBLE?

Pour bien comprendre la solidarité qui existe entre les êtres humains, tu as besoin [...] de tes lunettes à rayons X. Regarde. Vois-tu la corde invisible qui attache ensemble tous les enfants du monde? Cette corde-là, il ne faut jamais l'oublier. Même quand on ne sait pas qu'elle existe ou même quand on fait semblant de ne pas la voir, elle lie ensemble tous les enfants qui montent vers leur idéal. Comme si tous formaient une cordée d'alpinisme de dimensions mondiales.

La fraternité est ce lien qui relie tous les enfants du monde. C'est un lien réel, mais qu'on ne voit pas. C'est comme la parenté: on ne voit pas le lien entre toi et ta sœur ou ton frère, mais vous avez «un petit air de famille». Vous êtes parents. La fraternité relie tous les enfants du monde et les aide à escalader la vie ensemble. Dans cette immense cordée, [...] certains grimpent plus facilement et d'autres ont souvent besoin d'aide. Mais tous ces enfants, les plus forts comme les plus faibles, sont liés ensemble. Si l'un des enfants va plus lentement, tout le monde ralentit forcément. Si, par malheur, un des grimpeurs perd pied et glisse vers le vide, tous les autres grimpeurs se cramponnent avec plus de force. S'ils ne le font pas, la glissade de leur compagnon risque de leur faire perdre pied eux aussi. On monte ensemble ou on tombe ensemble.

Certaines personnes vont te dire que j'exagère. «Il n'y a pas de corde invisible entre les enfants ou entre l'ensemble des êtres humains. Tu es responsable de ta vie à toi et de cette vie-là seulement. Occupe-toi de toi. Monte le plus haut et le plus rapidement possible. Ce qui arrive aux autres, tu n'y peux rien de toute manière.» Des personnes comme cela, il en pleut! Elles ne voient pas la «corde invisible». Elles ne comprennent pas que si quelqu'un devient plus pauvre, tous en souffrent. [...]

LE PAPILLON, L'ARAIGNÉE ET LE CLOU DU FER À CHEVAL

La solidarité, on la décrit de bien des manières. Voici trois exemples qui montrent que chaque petite chose, que chaque détail, que chaque personne a de l'importance dans la marche fraternelle des êtres humains vers la liberté et l'égalité.

L'EFFET PAPILLON

Il y a presque 40 ans, le météorologue Edward Lorenz a calculé les conséquences d'un tout petit changement dans les mouvements de l'air. Il a baptisé son résultat l'*effet papillon*. Parce que, dit-il, «un monarque battant des ailes en Californie pourrait à la limite provoquer une tempête en Mongolie». Autrement dit, la solidarité entre les nombreux morceaux de l'univers est si grande qu'un détail à un bout de l'univers peut entraîner ailleurs des conséquences énormes.

LA TOILE D'ARAIGNÉE

On peut aussi comparer la solidarité à une grande toile d'araignée. Si un insecte se prend à un fil de la toile, toute la toile est ébranlée et l'onde parvient à l'araignée. La toile peut compter des dizaines de fils, mais tous sont attachés et le choc qui frappe un fil se transmet à tout le réseau. Grâce à une sorte de «solidarité» entre les fils de sa toile, l'araignée surveille et contrôle tout son réseau.

LE CLOU DU FER À CHEVAL

Pour expliquer qu'un petit incident insignifiant peut avoir des conséquences terribles, on raconte aussi ce petit poème.

À cause d'un seul clou, un des fers du cheval a été perdu.

À cause d'un seul fer, un cheval a été perdu.

À cause d'un seul cheval, un cavalier a été perdu.

À cause d'un seul cavalier, une bataille a été perdue.

À cause d'une seule défaite, le royaume a été perdu.

Autant de façons d'affirmer que les personnes et les choses sont attachées ensemble. Ce qui semble toucher seulement une personne ou seulement un fil minuscule de la toile d'araignée ou seulement un fer à cheval, cela peut causer de gros dégâts. La cordée d'alpinisme aussi fait comprendre la solidarité. […]

POURQUOI NE PAS COPIER LA SOLIDARITÉ DES ANIMAUX?

Quand tu regardes certaines espèces d'insectes, d'oiseaux ou d'animaux, tu te dis peut-être: «Si les humains se cherchent un modèle de solidarité, ils n'ont qu'à regarder du côté des animaux ou même des insectes. Les abeilles pratiquent la solidarité. Les fourmis aussi. Les grandes oies blanches aussi. Peut-être aussi que les loups pratiquent la solidarité. Alors? N'inventons pas ce qui est déjà inventé…!» […]

LE GRAND ORCHESTRE DES OIES BLANCHES

Quand les grandes oies passent dans le ciel du Québec, elles se conduisent avec l'harmonie d'un orchestre professionnel. Une oie prend la tête et toutes les autres prennent place derrière elle pour former un grand fer de lance. Puis, l'oie qui volait à la pointe du grand V cède sa place et va se placer quelque part dans le groupe. Puis, une autre encore prend la tête. Tout se passe comme si chacune, dans le Grand Orchestre des Oies blanches, jouait un solo avant de retourner modestement dans le groupe. La solidarité des oies blanches va cependant plus loin. Si une oie blessée ou malade ne parvient plus à suivre le rythme du vol, on ne la laisse pas seule: une autre oie descend avec elle et fait de son mieux pour qu'elle retrouve des forces et rejoigne plus tard un autre grand V. Comme s'il y avait entre elles cette corde invisible que tu connais bien.

LA MONARCHIE APICOLE

Chez les abeilles, l'organisation est peut-être encore plus perfectionnée. La solidarité est totale, mais les abeilles se répartissent les tâches. Une éclaireuse n'a pas le même rôle qu'une guerrière. L'éclaireuse fait son travail à elle, mais elle ne se mêle pas du travail des autres abeilles. Quand elle a découvert un beau champ de trèfle, elle vient faire rapport à la ruche, mais elle ne prend pas les ouvrières par la main (?) pour les conduire à l'emplacement. Non, mademoiselle est une découvreuse, pas un guide touristique. Quand elle a localisé son champ de trèfle ou des pommiers en fleurs, elle vient danser devant les autres abeilles. Oui, danser en formant des arabesques que nous ne comprenons pas, mais que les autres abeilles lisent apparemment sans difficulté. Mademoiselle l'éclaireuse dit par sa danse où trouver le nectar, mais elle ne s'abaisse pas à les reconduire. Que les ouvrières se débrouillent; l'éclaireuse retourne à ses explorations. Les abeilles sont solidaires, mais différentes.

Les abeilles manifestent leur plus belle solidarité dans la protection de la reine abeille. Si, par exemple, le froid s'abat sur l'essaim, toutes les abeilles forment une boule autour de la reine. Elles la gardent au chaud le plus longtemps possible. Si le froid est trop vif et dure trop longtemps, toutes les abeilles mourront, mais la reine mourra la dernière, grâce à la solidarité et au dévouement de l'essaim. Tout se passe comme si les abeilles avaient fait le calcul suivant: «Tant que la reine demeure en vie, l'essaim peut se reconstituer, car la reine est la seule à pondre. Elle est capable de pondre 2 500 œufs par jour. Si je sauve ma vie pendant que la reine meurt, l'essaim disparaîtra quand même, car je ne ponds pas.»

POURTANT, TA SOLIDARITÉ EST PLUS GRANDE ENCORE

Jusque-là, je suis d'accord avec toi: la solidarité de certaines espèces d'insectes ou d'animaux est merveilleuse. Mais, mais, mais… la solidarité humaine, quand elle existe, est plus merveilleuse encore que cette solidarité des insectes ou des animaux. Pourquoi? Parce que la solidarité des humains est une décision que les humains prennent librement, tandis que les animaux ne pourraient pas changer leur comportement. Ils seront demain comme aujourd'hui et comme hier. Ils répètent les mêmes gestes d'une génération à l'autre, sans rien apprendre et sans rien perdre de leur instinct. C'est beau, mais c'est réglé une fois pour toutes. Les êtres humains inventent.

LA SOLIDARITÉ HUMAINE, TU L'INVENTES SANS CESSE

Pense encore à notre cordée d'alpinisme. Toi, quand tu es solidaire des autres grimpeurs, tu ne te contentes pas de monter à ton rythme en te disant: «Les autres doivent savoir ce qu'ils ont à faire.» Tu essaies, au contraire, d'aider le plus faible à s'améliorer. Cela, une abeille ou une fourmi ne le fait pas, parce que ce n'est pas dans sa «programmation». Toi, tu regardes, tu découvres des choses, tu réfléchis et tu changes de comportement à volonté. Quand l'oie blanche aide une compagne blessée, elle le fait parce que c'est conforme à son instinct. Si toi tu aides quelqu'un, c'est que tu as choisi librement de te montrer solidaire. Les bêtes peuvent accomplir de belles choses; toi, tu fais des choses «libres».

Toi, tu es capable de vouloir des changements. Les insectes et les animaux, eux, prennent les choses comme elles sont et les laissent à leur mort comme elles étaient à leur naissance. L'abeille vit de 21 à 35 jours quand elle doit travailler sans arrêt. Elle n'est pas capable de se ménager. Elle ne discute pas avec son instinct. Elle obéit à sa «programmation». Toi, c'est différent. [...] Les abeilles, même si elles ont une société très bien organisée, acceptent d'être gouvernées par une reine. Elles mourront pour elle bien qu'elles n'aient jamais voté pour elle. Une ruche, ça fonctionne, mais ce n'est pas une société démocratique. C'est la même chose pour les fourmis: quand elles élèvent des pucerons, c'est pour les utiliser comme du bétail à leur service. Elles n'essaieront jamais de rendre leurs esclaves aussi libres qu'elles. Toi, tu veux la liberté, mais tu veux que les autres aussi soient libres. Tu veux l'égalité pour toi, mais aussi pour les autres. Tu veux pouvoir compter sur les autres, mais tu veux que les autres puissent aussi compter sur toi. Ta solidarité, tu l'inventes, pas aveuglément du tout, pour augmenter la liberté et l'égalité.

Extrait de LAPLANTE, Laurent, *La démocratie, je l'invente*, Éditions Multimondes, 2000, p. 18-27. Reproduit avec la permission de l'éditeur.

EN PRIME

• Approfondis ta compréhension du concept de solidarité à l'aide de la fiche **103**.

Le journal de Zlata

Zlata, une jeune fille de onze ans, vit à Sarajevo quand la guerre éclate dans son pays. Elle tient un journal dans lequel elle raconte les répercussions de la guerre dans sa vie et dans celle de ses compatriotes. Découvre le quotidien de Zlata à travers son journal intime.

Dear Mimmy,   Dimanche 12 avril 1992

Les obus pleuvent sur les nouveaux quartiers de la ville – Dobrinja, Mojmilo, Vojnicko polje. Tout est détruit ou brûlé, les habitants sont dans des abris. Ici, dans le centre-ville, il ne se passe rien. Tout est calme. Les gens sortent dans la rue. Aujourd'hui, il a fait chaud, une belle journée de printemps. Nous sommes sortis, nous aussi. La rue Vasa Miskin était pleine de monde, d'enfants. On aurait cru un défilé pour la paix. Les gens sont sortis pour se rencontrer, ils ne veulent pas la guerre. Ils veulent vivre et s'amuser comme ils l'ont toujours fait. Est-ce que ça n'est pas normal ? Qui peut aimer et souhaiter la guerre ?

Il n'y a rien de plus horrible.

Je repense à ce défilé auquel je me suis jointe, moi aussi. C'était plus grand, plus fort que la guerre. C'est pour cela que les gens vaincront. Ce sont eux qui doivent vaincre, pas la guerre, car la guerre n'a rien d'humain. La guerre est quelque chose d'étranger à l'homme.

Zlata

Mardi 14 avril 1992

Dear Mimmy,

Les gens quittent Sarajevo. L'aéroport, la gare, la gare routière sont noirs de monde. J'ai vu des adieux déchirants à la télé. Des familles, des amis se séparent. Certains partent, d'autres restent. C'est triste à pleurer. Tous ces gens, tous ces enfants – des innocents. Tôt ce matin, Keka et Braco sont venus chez nous. Ils ont chuchoté avec papa et maman dans la cuisine. Keka et maman étaient en larmes. J'ai l'impression qu'ils ne savent pas quoi faire – rester ou partir. L'un ou l'autre, ce n'est pas une solution.

Zlata
[...]

Dear Mimmy,   Lundi 5 octobre 1992

Grand-père et grand-mère se chauffent au gaz naturel. Grand-mère allait chez Neda faire la cuisine car elle avait une gazinière. Déjà qu'on n'avait plus d'eau, plus d'électricité, voilà que le gaz n'arrive plus non plus !

Ta Zlata

Dear Mimmy,   Mercredi 7 octobre 1992

Neda est partie finalement. Tout le monde a de la peine, surtout maman. Neda nous manquera, mais il faut bien s'y faire : cette guerre nous sépare de nos amis. Combien de gens va-t-on voir partir encore ? Tu m'excuseras, Mimmy, mais j'ai du chagrin, et je n'arrive plus à écrire.

Zlata qui t'aime

Dear Mimmy,   Dimanche 11 octobre 1992

Voilà une journée dont on se souviendra dans la famille. Aujourd'hui, nous avons monté le vieux poêle dans la cuisine. On est drôlement bien, et au chaud. Papa, maman et moi, nous avons pu faire notre toilette. À l'eau de pluie, mais ça ne fait rien. Tout le monde est propre, et nous ne sommes plus gelés comme ces derniers jours.

Toujours pas d'électricité, ni d'eau.

Ta Zlata
[…]

Jeudi 9 septembre 1993

Dear Mimmy,

Aujourd'hui, c'est l'anniversaire de maman. Je lui ai fait un énooooorme baiser et souhaité un « Joyeux anniversaire, maman ». Je n'avais rien d'autre à lui donner.

C'est son deuxième anniversaire de guerre. Le mien arrive. Décembre approche. Est-ce que ce sera un anniversaire de guerre ? Un de plus ?

Ta Zlata

Mercredi 15 septembre 1993

Dear Mimmy,

C'est reparti. Les bombardements ont repris, et tout le monde est nerveux. Nous repensons à la cave, nous craignons que ça recommence. J'espère sincèrement que non. Mais, ici, espérer, ça ne veut rien dire.

Demain, je vais aller à Skenderija, à la FORPRONU – chez le dentiste. Tous les enfants de notre quartier y sont allés, c'est mon tour.

L'école ! Qu'est-ce que je suis déçue ! Il y a des tas d'enfants qui ont perdu leur année l'an dernier. Je n'ai vraiment pas l'impression d'être en quatrième, mais toujours en sixième comme en ce mois d'avril d'il n'y a pas si longtemps, en avril 92. Le temps paraît s'être arrêté à ce moment-là.

Les livres ne sont pas à moi, ils ne sont pas neufs. Il y en a de Bojana, d'autres de Martina, d'autres de Dijana, et les autres, c'est Mirna qui me les a donnés. Les stylos sont vieux, les cahiers à moitié écrits, ils datent des années précédentes. La guerre a même réussi à gâcher l'école et la vie des écoliers.

À l'école de musique, je suis en sixième année. La prof m'a dit de pratiquer tous les jours et de rester « le derrière collé » sur le tabouret. C'est la dernière année. Il faut prendre ça au sérieux.

Demain à Sarajevo des tas de journalistes, de photographes, d'équipes télé arrivent de France. Alexandra et Christian peut-être aussi. Ils me manquent.

Ta Zlata
[...]

Dear Mimmy,

Jeudi 7 octobre 1993

Ces derniers jours, la routine. Pas de bombardements, Dieu merci, je vais à l'école, je lis, je joue du piano.

L'hiver approche et nous n'avons rien pour le chauffage.

Je regarde le calendrier, cette année 1993 semble partie pour être une année complète de guerre. Mon Dieu... deux ans de perdus à écouter les bombardements, à souffrir du manque d'électricité, d'eau, de nourriture, et à espérer la paix.

Je regarde papa et maman. En deux ans, ils ont vieilli autant qu'en dix ans de paix. Moi? Je n'ai pas vieilli, j'ai grandi, même si je ne sais pas de combien. Je ne mange pas de fruits, pas de légumes, je ne bois pas de jus de fruits, je ne mange pas de viande... Je suis une enfant du riz, des haricots secs et des spaghetti. Non...! je parle une fois encore de nourriture! Je me surprends souvent à rêver de poulet, de bons schnitzels, de lasagnes... Ah, assez maintenant, parlons d'autre chose.

Zlata

Mardi 12 octobre 1993

Dear Mimmy,

Je ne sais plus si je te l'ai dit, cet été j'ai envoyé par l'école une lettre à un ami inconnu d'Amérique, une fille ou un garçon.

J'ai eu une réponse aujourd'hui. D'un garçon. Il s'appelle Brandon, il a douze ans comme moi et habite Harrisburg en Pennsylvanie. Je suis ravie.

Je ne sais pas qui a inventé les lettres et la poste, mais je lui dis un grand merci. J'ai maintenant un ami en Amérique, et Brandon a une amie à Sarajevo. C'est la première lettre qui m'arrive après avoir traversé l'Atlantique. Dans la lettre, il y avait aussi une enveloppe pour la réponse et un beau stylo. [...]

Zlata qui t'aime

Zlata Filipovic, *Le journal de Zlata* © Fixot et éditions Robert Laffont, S. A., Paris, 1993.

EN PRIME

• Dans la fiche **104**, explore l'univers de Zlata, ses peines et ses déceptions, mais aussi ses rêves et ses espoirs.

Les colombes du Liban

Alia est Palestinienne, Pierre est Libanais. Tous les deux vivent à Beyrouth, une ville dévastée par les bombardements. Ils décident de lutter contre la guerre pour prouver que la paix est possible au-delà des différences culturelles et religieuses. Quels moyens trouveront-ils pour construire la paix?

Un après-midi qui s'étire, un de plus. Alia écoute distraitement les bruits de l'hôpital, le gémissement d'un malade, une porte qui claque, une guêpe qui heurte les vitres de la fenêtre, des pas rapides qui se rapprochent… Elle ouvre les yeux. C'est Pierre, il est déjà près d'elle, l'air content, une mèche brune sur le front, le sourire aux lèvres. Très vite il explique à Alia une drôle d'idée qui lui est venue après une rencontre avec son ancien professeur d'histoire, ce prof que ses élèves ont surnommé «Einstein» à cause de sa chevelure blanche qui le fait ressembler au savant. C'est un grand pacifiste, un philosophe… Hier, il a dit à Pierre: «À mon âge, on sait que la guerre est stérile, mais les hommes refusent de comprendre! Les jeunes générations, peut-être un jour, si elles pouvaient apporter un regard neuf…»

— Il avait l'air triste et accablé!

— Comment ne pas l'être, dit Alia. Mais ton idée?

— Voilà, si on réunissait des jeunes pour faire une sorte de club pour la paix […], simplement pour prouver qu'on peut vivre heureux et en paix les uns avec les autres et faire ensemble des choses vraiment chouettes, dit Pierre.

Ils se taisent un instant:

— Ton idée est réellement géniale, dit enfin Alia.

— Il nous faut des gars pour organiser tout ça avec nous. Je vois mon frère François, qui a dix-sept ans, un de mes copains de fac, Farid.

— Leilla, ma sœur, ne voudra pas, elle dira qu'elle travaille et qu'elle n'a pas le temps…, dit Alia en riant, mais il y a Malika, mon amie, elle sera d'accord et Imad aussi, nous sommes dans le même cours.

— Chacun recrutera ensuite de son côté. Nous aurons besoin aussi d'un local, mais là, j'ai déjà une petite idée…

Leur projet les soulève de terre, ils sont intarissables.

— Au fait, j'allais oublier de te dire, on va me déplâtrer, je serai chez moi dans une semaine!

Ce soir-là, pour la première fois depuis le bombardement, Alia s'endort avec dans le cœur une petite flamme de joie, «demain peut-être... la paix!»

La dernière semaine passe vite. François, Farid, Malika, Imad sont venus. Ils ont été d'accord immédiatement. Même le local est trouvé. Le père de Pierre, qui est pharmacien dans le centre de la ville, accepte de prêter le rez-de-chaussée d'une maison inoccupée située dans une petite rue tranquille. Pierre, qui n'est pas certain que son père partage le même idéal, lui a seulement expliqué: «C'est pour un club de copains.» Quelques conseils de prudence, vérification d'une assurance pour la sécurité et l'affaire est conclue.

LE CLUB DE LA PAIX

À la première rencontre ils sont déjà plus de vingt, venus de tous les quartiers. Pierre explique:

— Nous sommes réunis parce que nous en avons assez des rivalités, de la guerre, de la haine. Nous voulons être de ceux qui cherchent à changer les choses. Dans notre club [...], nous partagerons amitié entre nous, solidarité avec les autres. Nous serons «le club de la paix».

Applaudissements, hourras, sifflets, l'accord est général.

— Maintenant, faisons connaissance, dit Pierre.

Le pari est gagné. Ils ont tous entre quinze et vingt ans, sans compter Imad et la petite sœur d'Alia, Latéfa, qui n'en ont que douze. Ils se préparent à être médecin comme Pierre, institutrice

comme Alia, infirmière, ébéniste ou électricien, musicien ou dessinateur, sans compter ceux qui sont tout simplement au collège et n'ont pas encore de projets. […]

— Bon! dit Pierre, on nettoie ou on s'organise?

— Vu l'état des lieux, vaudrait mieux commencer par le ménage, déclare Malika.

La grande pièce est mangée par la poussière et les toiles d'araignées, encombrée de cartons vides et d'objets divers. Ses trois portes-fenêtres ouvrent sous un auvent à arcades qui donne accès à un petit jardin envahi par les herbes folles.

— Alors, au travail! crie Fadi, et... il prend sa guitare!

— D'accord pour le travail en musique, dit Alia.

— Hé, les gars, j'ai trouvé quelque chose, crie Ismaël.

Il tient à bout de bras un gigantesque livre de comptes.

— Regardez, il est tout neuf! On pourra s'en servir pour raconter tous nos grands actes pacifiques.

Rire général.

— Il a raison, dit Farid, on va faire un livre d'or.

Et les voilà qui délaissent les nettoyages, ils débordent d'idées: il y aura une chorale dirigée par Fadi et Myriam qui étudient la musique et le chant. Une chorale, ça veut dire sono et projecteurs… Ibraïm, qui passe son temps à chercher des haut-parleurs dans les vieilles voitures pour les remonter, est un passionné. Il s'en occupera avec ceux que ça intéresse. Ramzi propose un atelier de dessin pour qui aime tenir crayons et pinceaux.

Et dans le livre d'or, tous les gestes de paix accomplis par les uns ou les autres seront racontés sous forme de bandes dessinées.

Un mois plus tard, ils sont trente, et tout est prêt pour l'inauguration. La pièce est peinte en blanc, Ramzi a dessiné une fresque sur le mur du fond, mais pour l'instant elle est cachée par une toile. Alia, aidée par les plus jeunes, a dressé une table sous l'auvent où s'entassent les pâtisseries et les corbeilles de figues et de raisins, près des cruches d'eau fraîche et des carafes de

sirop de mûre. L'herbe est coupée dans le petit jardin en pente, le laurier-rose débarrassé de ses ronces et le rosier grimpant attaché. [...]

Alia s'avance, retire l'étoffe... Sur le mur, dans un dessin très sobre, deux colombes volent l'une vers l'autre. La première porte un rameau d'olivier, la seconde un brin de cèdre, au-dessous Ramzi a écrit en belles lettres rouges: JE SUIS TON FRÈRE ET TU ES MON FRÈRE.

Les jeunes applaudissent, à cet instant ils se sentent plus forts que la guerre, plus forts que la haine! Einstein dit qu'il ne fera pas de discours, puisque tout ce qui est important est écrit sur le mur et, pour clore la cérémonie, il les remercie tout simplement pour ce qu'ils sont.

Ils envahissent le jardin, c'est la fête. Les rumeurs de la ville montent jusqu'à eux et se perdent dans la mélodie.

« Que la joie qui nous appelle
Vous accueille en sa clarté
Que s'éveillent sous son aile
L'allégresse et la beauté! »

Le club se rencontre régulièrement. Garçons et filles travaillent aussi très fort à l'extérieur pour faire accepter leur idéal pacifique. Les aînés préfèrent les discussions. Elles sont animées sur le campus et dans les cours des collèges. Pierre et Alia rêvent de susciter d'autres clubs comme le leur. Les plus jeunes aiment mieux agir. [...]

Les mois et les saisons passent. La guerre sévit toujours. En ville, des quartiers sont en ruine; dans la montagne, on ne compte plus les villages bombardés et désertés. La violence est partout, imprévisible. Le club reste un îlot paisible où règne la confiance.

Michèle Lagabrielle, *Les colombes du Liban*, Bayard éditions jeunesse (Coll. Je Bouquine), 1992.

EN PRIME

• Que font ces jeunes pour construire la paix? Que t'inspire leur action? Penche-toi sur ces questions à l'aide de la fiche **105**.

La forteresse suspendue

Chaque été, les enfants des deux campings du lac Noir se livrent à un jeu de guerre.
Ils sont divisés en deux bandes : les Indiens et les Conquistadors.
Un été, les Indiens emploient des tactiques tellement ingénieuses qu'elles entraînent la
jalousie des Conquistadors. Mais quelles sont donc ces habiles stratégies ?

À l'aube, tout est calme sur le front nord. Le soleil naissant sonde la brume matinale de ses rayons lumineux auréolant la couronne de sapinage autour de la forteresse suspendue. Rien n'y bouge, aucun bruit ne s'en échappe.

Dans la forêt, par contre, résonnent cent bruits de pas feutrés, chuchotements, cliquetis d'armures de tôle, frottements dans les buissons. C'est l'armée des Conquistadors au grand complet qui avance sur la pointe des pieds. À l'avant, Marc, Michael, Groleau, Suzie et Sarah se blottissent derrière un arbre mort envahi de mousse humide et de champignons colorés. L'armée entière s'immobilise en même temps qu'eux, observant l'imposante forteresse ennemie. Marc a longuement expliqué sa stratégie : approche discrète et charge à l'emporte-pièce comme au cinéma. [...]

Marc se dresse et hurle le signal de l'attaque. Sarah réplique avec sa trompe de plastique. Toute la troupe s'élance vers la forteresse en courant aussi vite que le terrain jonché de branches mortes le permet.

Surgissant de toutes les directions, portant des échelles improvisées, hurlant à tue-tête des cris de guerre, ils sont cinquante et font plus de bruit que s'ils étaient mille. Malgré leurs costumes encombrants et les échelles sur leur dos, ils avancent très vite, convaincus de prendre l'ennemi par surprise.

Alors qu'ils arrivent au pied de la forteresse, il se produit quelque chose d'inattendu : ses pans de sapinage s'abaissent horizontalement grâce à un jeu sophistiqué de cordes et de poulies ainsi qu'un système inventif de contre-poids.

Michael s'arrête à mi-course, ébloui par l'ingéniosité et la beauté du mécanisme, dont il est le seul à comprendre instantanément la fonction.

— Extraordinaire. Cela s'ouvre comme les pétales d'une fleur, comme les nénuphars dans le soleil du matin. Maintenant, nos échelles ne serviront plus à rien.

Il a vu juste. Le sapinage s'allongeant à l'horizontale tient les échelles éloignées de la forteresse. Proches mais inaccessibles, les Indiens restent abrités derrière un mur de branches et de rondins entrelacés, un treillis serré qui arrête les projectiles adverses mais permet de voir à travers ce que fait l'ennemi. Pour les

Conquistadors, le sommet des échelles est un cul-de-sac. Ils ne peuvent pas atteindre la plateforme et sont exposés au bombardement des Indiens.

Suivant les ordres de Marc, la pluplart des Conquistadors se retrouvent sous la forteresse, s'y croyant à l'abri, mais, levant les yeux, ils remarquent une grosse hélice de ventilateur dont la fonction indéterminée est, pour eux, source d'inquiétude.

Au même instant, dans la forteresse, Marie-Ange agite un mélange d'eau, de boue, de feuilles en décomposition dans un gros baril d'où part un tuyau passant en travers du plancher. Un Indien sur une bicyclette stationnaire pédale à fond de train, actionnant l'engrenage qui fait tourner l'hélice sous le plancher de la forteresse. Puis,

un Indien corpulent pour son âge monte sur le baril, qu'on recouvre d'un couvercle faisant office de piston. Son poids augmente la pression dans le baril et Marie-Ange ouvre le robinet. Le liquide sirupeux tombe sur l'hélice de ventilateur, qui le propulse sur les Conquistadors cachés sous la forteresse, les aspergeant copieusement. C'est la débandade. Tous s'enfuient, couverts d'éclaboussures noirâtres et nauséabondes.

Ce n'est pourtant que le moindre des problèmes de Marc. La veille, il n'a pas remarqué une suite d'avant-postes bâtis dans les arbres proches de la forteresse. Construits plus en hauteur, ils permettent aux Indiens de maintenir les Conquista-dors sous un tir croisé. Pire, chaque rocher, chaque arbre offrant un abri contre ce qui est projeté de la forteresse est soumis aux projectiles lancés de ces avant-postes. Ce bombardement soutenu et les espars de sapinage découragent vite l'armée conquistador.

Et il y a pire encore : de nombreux Indiens s'envolent entre la forteresse et les avant-postes. Sur des câbles d'acier, ils filent entre les arbres assis sur des sièges de balançoire accrochés à des poulies. Fonctionnant tantôt sur le principe d'une corde à linge, tantôt à la manière de téléphériques, le système permet aux défenseurs des déplace-ments rapides et la circulation des munitions entre la forteresse et les avant-postes.

En vérité, la simple vue d'Indiens circulant à vol d'oiseau au-dessus de leurs têtes démoralise les Conquistadors. Le petit Laurent s'en plaint amèrement à son grand frère Michael, caché avec Marc derrière une souche.

— Pourquoi on peut pas voler comme ça, nous ? C'est pas juste. Je retourne à la maison, moi.

Frustré, le petit Laurent s'en va en boudant malgré les projectiles qui pleuvent. Tout aussi frustré que lui et honteux de s'être fait invectiver par son petit frère, Michael se fâche et trouve des paroles pour lui faire peur :

— C'est ça ! Repasse par la forêt tout seul. Tu vas te perdre, puis les bêtes sauvages vont te manger […].

Le petit Conquistador s'arrête, hésite une seconde, lance un cri de rage et revient sur ses pas, préférant affronter le bombardement en groupe que la forêt en solitaire.

— Elle est pas juste, ta guerre. On perd tout le temps.

Pour les autres aussi, les sachets de farine qui éclatent comme des bombes et les ballons emplis d'eau visqueuse mêlée à du sel et de la farine sont un moindre mal. L'envie de voler comme les Indiens force la jalousie et leur enlève toute énergie. Obligés de se regrouper sous leurs boucliers réunis, ils ont l'impression humiliante que tout le plaisir est pour les autres.

En somme, c'est une bataille débridée. Ni les combattants ni les arbitres ne savent où donner de la tête. Marc est convaincu que les Indiens trichent encore et se lamente à son arbitre de tout et de rien :

— Hé! il a une fronde, lui, là. C'est interdit de lancer des roches.

— C'est pas une roche, c'est un œuf que je mets dedans.

L'œuf est décoché et atteint Marc à l'instant où les arbitres finissaient de consulter leurs livres de lois de guerre afin de trancher la question.

— Stop! les œufs non plus sont pas permis! hurlent enfin les arbitres.

— Trop tard! Pourquoi vous les apprenez pas par cœur, les lois de guerre? se lamente Marc.

— C'est pas de notre faute. Il y en a des nouvelles tous les jours. On peut pas se souvenir de toutes. Il y en a trop.

— Puis, c'est quoi la raison pour interdire les œufs?

— Pour pas tuer des fœtus d'oiseaux!

— Voyons donc! c'est des œufs pour faire des omelettes!

— Ah! arrangez-vous donc avec vos problèmes, répliquent les arbitres. On en a assez, nous. On démissionne. De toute façon, personne nous écoute.

Frustrés par l'ingratitude perpétuelle à l'égard de leurs fonctions, les arbitres jettent par terre les lois de guerre et se joignent au combat. Après tout, ils ont eux aussi le droit de s'amuser!

Cantin, Roger, *La forteresse suspendue*, Éditions Québec/Amérique, 2001.

EN PRIME

• Les Indiens et les Conquistadors ne font pas la guerre. Ils «jouent» à la guerre. Heureusement que c'est un jeu, car leurs règles envenimeraient n'importe quel conflit en moins de deux! Récapitule les moments forts du combat entre les Indiens et les Conquistadors dans la fiche **106**.

PRÉPARER LA PAIX

par Albert Jacquard

*D'où viennent les guerres ? Ont-elles toujours existé ? Peut-on espérer
un monde sans guerre ? Le scientifique et grand humaniste Albert Jacquard
te propose des réponses à ces questions et des pistes de réflexion.*

**Monsieur Jacquard, est-ce vrai
qu'il y a toujours eu des guerres
et qu'il y en aura toujours ?**

Vous le savez, un peu partout sur la terre
d'aujourd'hui il y a des guerres entre
nations, entre tribus, entre groupes
persuadés que leur idéologie, leur
religion, leur système politique, est le
seul bon. [...] L'histoire des nations,
que vous apprenez en classe, apparaît en
effet comme une succession de guerres.
[...]

Mais l'histoire des hommes est beaucoup plus longue que ces quelques
dizaines de siècles. Nous ne la connaissons que depuis l'invention de
l'écriture, il y a probablement six mille
ans. Cette invention a suivi une grande
modification de l'organisation des
groupes humains : la sédentarisation,
liée à l'invention de l'agriculture et de
l'élevage. Auparavant, ces groupes
étaient nomades. Pour trouver leur
nourriture, ils parcouraient sans cesse
d'immenses étendues. Même dans des
régions aussi fertiles que celles du
Moyen-Orient, il faut la production
naturelle d'au moins deux cents
hectares pour nourrir une personne.

Les groupes étaient donc nécessairement formés d'un petit nombre de
femmes et d'hommes et ils devaient se
déplacer en permanence, cueillant,
pêchant, chassant. Pour être suffisam-
ment mobiles, il fallait qu'ils n'aient
que peu de choses à transporter, qu'ils
ne possèdent presque rien. N'ayant
d'autres richesses que celles apportées
chaque jour par la nature, pourquoi se
seraient-ils fait la guerre ?

Tout change lorsque les hommes s'installent à demeure sur un territoire qu'ils cultivent, où ils élèvent des animaux, où ils engrangent leurs récoltes. «C'est moi qui ai travaillé pour faire pousser ce grain; il est à moi; j'interdis aux autres de le prendre.» Les ressources fournies par la terre, puis les champs eux-mêmes, sont devenus des propriétés appartenant à tel individu, à telle famille, à tel clan. Il a été tentant de prendre les biens d'un autre plutôt que de travailler durement pour en obtenir soi-même. Avec la propriété est né le vol, la défense, le conflit, la guerre.

L'affirmation «il y a toujours eu des guerres» est donc très probablement fausse. Elle ne traduit la réalité que depuis dix mille ans. Pendant la plus grande partie de l'histoire humaine, celle qui a précédé les cent derniers siècles, on ne voit pas pourquoi il y aurait eu des guerres.

Malheureusement, cette idée est si répandue qu'on l'admet sans discussion. C'est le cas par exemple pour un film remarquable que vous avez sans doute vu à la télé [...]. L'action se passe longtemps avant l'invention de l'agriculture. On nous présente une tribu qui a laissé s'éteindre le feu et qui, pour en avoir à nouveau, part en guerre contre une tribu voisine qui le possède. Mais pourquoi le feu serait-il l'objet de vol ou de guerre? Le feu est une richesse merveilleuse, on peut le donner tout en le gardant. Au nom de quoi le refuserait-on à qui nous le demande? Ce ne pourrait être que pure méchanceté. On peut imaginer que nos ancêtres lointains n'étaient pas aussi stupides. Mais il est significatif de notre état d'esprit

actuel qu'un romancier et un cinéaste aient pu inventer une histoire dans laquelle, pour obtenir du feu, on se fait la guerre.

Cet état d'esprit est la véritable cause de la multiplication des guerres auxquelles nous assistons. C'est lui qu'il faut changer si nous voulons rétablir un véritable état de paix. [...]

Au cœur de l'erreur qu'est la guerre, on trouve l'idée que l'on peut résoudre un problème par la violence. [...] Il faut acquérir chacun le réflexe de chercher aux conflits une autre issue que la violence. Malheureusement, tout nous incite à y recourir, la télé, les films, et même les jeux. Dans certains pays, les enfants eux-mêmes ont commencé à réagir. Au Québec, un mouvement s'est développé pour refuser les jeux violents ou guerriers. Dans la ville de Québec, les élèves de tous âges ont été invités par quelques camarades à apporter ce genre de jouets; on en a fait un grand tas, et quelques sculpteurs, aidés par des jeunes, les ont utilisés pour construire un monument à la Paix.

Pourquoi ne pas en faire autant dans chacune de nos villes ou chacun de nos villages?

Albert Jacquard, *E = CM2* (avec des élèves du cours Moyen 2e année), Coll. *Petit Point* © Éditions du Seuil, 1993. *Point Virgule* (nouvelle série), 2202.

EN PRIME

- Comment ce texte pourrait-il t'aider à construire la paix dès aujourd'hui? Penche-toi sur la question à l'aide de la fiche **107**.

INDEX

 Section grammaticale : Retenir sa langue

 : définition d'un mot

Stratégies et connaissances

SOURCES ICONOGRAPHIQUES

H: Haut   **B:** Bas   **G:** Gauche   **D:** Droite   **C:** Centre

Numéro 7

8 © Élyse Guévremont **9** © Royalty-Free/CORBIS **11** © Lisette Le Bon / SuperStock **17** © ArtToday **27** ANC – C317 **28-30** © ArtToday **31** Rachel Raymond, Congrégation Notre-Dame **37** © ArtToday **42** © ArtToday **47** Photo de Jean-François Richer **48** © Photodisc **49 B** © ArtToday **H** © Photodisc **84** Photos prêtées par Marie-France Houle **85** Photos prêtées par Marie-France Houle et Marie-Andrée Couture **H** © ArtToday (photo de la maison) **B** © ArtToday (photo de la femme seule) **86-87** Documents prêtés par Marie-France Houle **90** © Photodisc **91** © ArtToday **96-98** © ArtToday

Ordinateur (rubrique *Tac Tic*) : © Artville

Micro (rubrique *Moi et les autres*) : © PhotoDisc

Radar (rubrique *Multimédia*) : © Artville

Trombones (partout dans le manuel) : © Artville

Numéro 8

109 © Francisco Cruz / SuperStock **121** © Élyse Guévremont (punaises) **123** © Photodisc **124** © Photodisc **125** © Tom & Dee Ann McCarthy / CORBIS / MAGMA **128** © Royalty-Free / CORBIS / MAGMA **129** © Caroline Bergeron photographe **131** © Royalty-Free / CORBIS **133** © Thomas Ropke / CORBIS / MAGMA **140** © Diane Hardy **144-145** © Photodisc **166** Illustration adaptée de «Les équipes reconstituées», dans La coopération au fil des jours, Chenelière / McGraw-Hill, Montréal, 1997 **170-172** © Bettmann / CORBIS/MAGMA **174** © Topham - PA / PONOPRESSE **175-176** © Bettmann / CORBIS / MAGMA **191 G** © UPPA - Topfoto – PONOPRESSE **D** © Photodisc (loupe) **192 G** © Fonds Simenon de l'Université de Liège **D** © ArtToday, © Photodisc (loupe) **193** © Photodisc (loupe)

Numéro 9

207 © ArtToday **221 H** © Jean-François Gratton **B** © Bernard Brault **223** © ArtToday **225** © ArtToday **230** © ArtToday **234 H** © Musée de la science et de la technologie **B** © Photodisc **255 H** © ArtToday **B** © Photodisc **256 G** © ArtToday **D** © Photodisc **257 H** © ArtToday **B** © Photodisc **258** © Aarne Ranta **259** © ArtToday **260-262** © ArtToday **264** Alexandra Boulat / Sipa Press / PONOPRESSE

TABLE DES MATIÈRES